D0901676

Vidas para leerlas

Guillermo Cabrera Infante

Vidas para leerlas

ALFAGUARA

1998, Grupo Santillana de Ediciones S. A.
Torrelaguna, 60. 28043 Madrid
Teléfono (91) 744 90 60
Telefax (91) 744 92 24

• Aguilar, Altea, Taurus, Alfaguara S. A.
Beazley 3860. 1437 Buenos Aires
• Aguilar, Altea, Taurus, Alfaguara S. A. de C. V.
Avda. Universidad, 767, Col. del Valle,
México, D.F. C. P. 03100
• Ediciones Santillana, S. A.
Calle 80 Nº 10-23
Bogotá, Colombia

ISBN: 84-204-8369-9
Depósito legal: M. 10.985-1998
Printed in Spain - Impreso en España

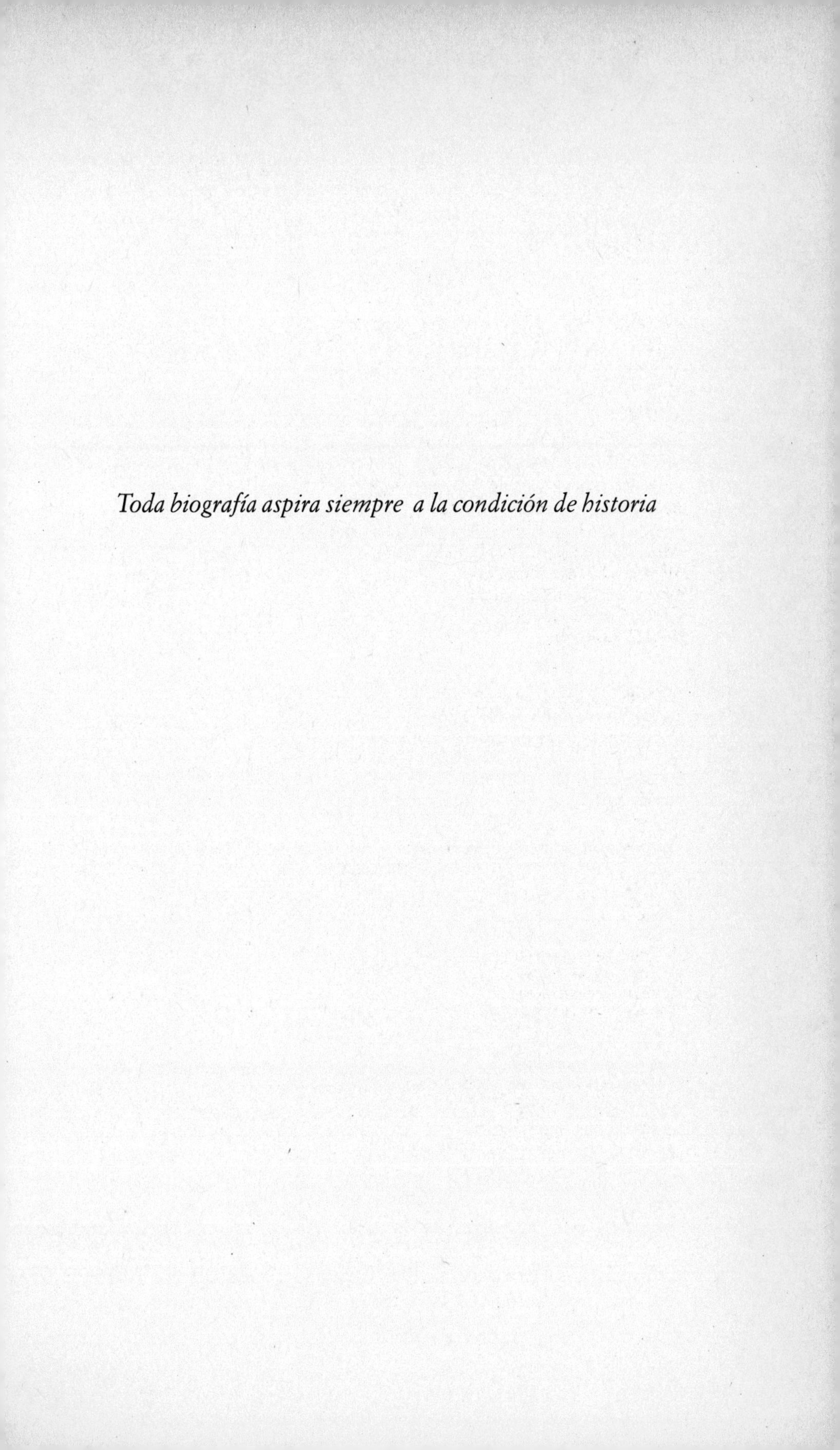

Toda biografía aspira siempre a la condición de historia

Índice

Preámbulo

Fue Plutarco (46 d.C.-120 d.C) quien acuñó el término de su obra como título, *Vidas paralelas,* y de paso dio lugar a un examen de la historia recurriendo al paralelismo histórico que inauguró.

Plutarco era griego pero sabía tanto de las vidas (léase biografías) latinas que parece un historiador romano. Plutarco escribió lo que se cree que es la expansión de charlas que dio en Roma y se le considera uno de los autores más atractivos de la antigüedad: uno que todos han leído y que todavía leen. Su escritura es ingeniosa, llena de encanto y tacto. Muchos lo han imitado pero pocos han conseguido igualarle.

Mis *Vidas para leerlas* es, desde el título, una variación paródica de las *Bioi paralleloi,* pero no es comparable al modelo plutarquiano —excepto en que Plutarco dio considerable importancia al chisme de salón y a los rumores de la corte. (Su maestro Heródoto fue llamado en Grecia no el padre de la historia sino el rey del chisme.) Las vidas contadas de nuevo por Plutarco no sólo han adquirido popularidad a través de los siglos sino que han servido más de una vez de modelo para Shakespeare en sus obras maestras *Julio César* y *Antonio y Cleopatra.* Es de agradecer que el griego haya escrito sobre romanos para engrandecer la poesía dramática inglesa.

Nada querría yo más que mis modestas vidas sean para leerlas, para gozarlas y para evitar, en muchos casos, la aciaga suerte de muchos que vivieron, cortesanos renuentes, y murieron para, por la literatura.

GUILLERMO CABRERA INFANTE
Londres, febrero de 1998

Tema del héroe y la heroína

No hay vidas más disímiles (y a la vez más similares) que las de José Lezama Lima y Virgilio Piñera. Nacieron a poca distancia en el tiempo (Lezama en 1910, Piñera en 1912) y casi en el mismo espacio (uno en La Habana y el otro en Cárdenas, a cien kilómetros de La Habana) y los dos murieron en La Habana: Lezama en 1976, Piñera en 1979. Virgilio nació en la provincia de Matanzas pero después de una infancia inquieta y una adolescencia ambulatoria (odiaba que se la calificara de peripatética), vino a instalarse en La Habana, nuestra Roma Antigua, mientras Lezama se había fijado (tal vez el verbo que mejor le sentaba: todo es fijeza en Lezama) en la capital, desde que nació para siempre. Los dos eran hijos de técnicos. El padre de Lezama fue coronel del ejército, ingeniero militar, y el de Virgilio ingeniero agrimensor. Pero mientras Lezama, hijo varón único, quedaba huérfano de padre en la niñez, Virgilio, uno entre varios hijos, vio a su padre llegar a verdadero viejo y padecer de manía ambulatoria. Lezama nunca se recobró de la muerte de su padre. Virgilio veía la muerte como una liberadora de su padre, ciego y senil. Los dos fueron escritores precoces. Pero Lezama hizo estudios para graduarse de abogado, mientras Virgilio nunca completó su educación (Filosofía y Letras probablemente) y entre ambos se interpuso siempre la respetabilidad que mantuvo Lezama casi hasta su muerte y la accesibilidad de Virgilio, por no decir su modestia (que escondía una inmodestia íntima enorme), su desprecio por el respeto y su desafío de las convenciones sociales. Muy poca gente (tal vez, solamente su madre y sus hermanas, que le decían Joseíto) llamó a Lezama otro nombre que Lezama, si lo conocían, o Lezama Lima de lejos, pero había algunos que lo llamaban Maestro sin que Lezama desdeñara este tratamiento. Mientras que Virgilio Piñera era Virgilio para todos sus amigos y hasta para meros conocidos y era Piñera sólo para sus enemigos. Asimismo, Virgilio hubiera despachado con una de sus salidas ácidas a cualquiera que lo tratara de maestro, aun con minúscula. Físicamente no podían ser confundidos nunca. Lezama era alto, enorme: un hombre gordo como Chesterton, católico como Chesterton, ambos autores de alegorías. Virgilio era de estatura media, casi bajo, siempre flaco y a veces, al principio y final de su vida, coqueteó con la caquexia. Era además agnóstico. Para acentuar las antianalogías escribió una obra, *El flaco y el gordo,* en que el Gordo es un glotón atroz que hace referencias a un Maestro, gourmet esencial —las dos caras comilonas de Lezama que se atracaba de comidas que calificaba de exquisitas. El Flaco, como Virgilio, es un hombre hambreado encerrado con el Gordo en un recinto aislado, que termina, premonitoriamente, matando al Gordo, devorándolo —¿antropofagia intelectual?— y llevando sus ropas, que lo convierten en lo que siempre quiso ser, el Gordo. Dentro de cada flaco hay un gordo luchando por subir. Los dos, Virgilio, y Lezama, eran profundamente cubanos, habaneros más bien y ambos tenían connotaciones con la más criolla de las ciudades cubanas, Camagüey, donde Virgilio había vivido en su niñez, de donde era oriundo el padre de Lezama. La pareja publicó sus tempranos primeros libros (poemarios ambos), los dos dedicados a temas griegos: Lezama, *La muerte de Narciso* (1937), Virgilio, *Las furias* (1941), con un tratamiento sensiblemente diferente en cada caso. Ya Lezama era barroco y oscuro, mientras Virgilio se mostraba simple, casi callejero. Pero aunque la poesía de Virgilio es notable (sobre todo su tercer libro, *La isla en peso,* 1943), no hay en ella un solo verso de la belleza imperecedera de «Así el espejo averiguó callado, así Narciso en pleamar fugó sin alas» y mucho menos algo de la extraña perfección de los poemas en *Enemigo rumor,* que Lezama publicó ya en 1941. En *La isla en peso* Virgilio se mostró un poeta de considerable cubanía, aunque alguno lo acusara fútilmente de copiar a Aimé Cesaire. Pero por este tiempo, antes de ese tiempo, Lezama compuso poemas que están entre los más hermosos escritos en español en este siglo. Sin embargo hay un verso de Virgilio, «Tú tenías un gran pie y el tacón jorobado», memorable por su humor a la vez cruel y melancólico cuando se sabe que tacón y pie pertenecen a un personaje popular, una habanera humilde, Chencha la chambona.

Era inevitable que Lezama y Virgilio se encontraran en comunidad, era también previsible que se separaran con violencia. Virgilio era pendenciero, Lezama sólido, pero los dos eran vulnerables en más de un sentido. Homosexuales los dos, sus intereses sexuales eran marcadamente diferentes: esto era visible aun en los atuendos respectivos. Lezama vestía invariablemente de cuello y corbata y si no usaba chaleco parecía portar uno, perceptible en su invisibilidad constante. (Un saludo humorístico de Lezama era a menudo: «Véame aquí en mi chaleco mozartino sobre mi vientre wagneriano».) Virgilio siempre llevó pantalón barato y una camisa de sport de mangas cortas (tal vez por necesidad, seguramente por elección) y si alguna vez tuvo un traje, nunca lo usó —ni siquiera lo recuerdo trajeado en París, en la hostil primavera de 1965, aunque seguramente vestía chaqueta y un impermeable contra el tiempo pero también contra costumbre. Lezama era adicto a los efebos demorados, lánguidos, intelectuales. Era amante de la forma. Virgilio prefería a los hombres raudos, rudos del pueblo —guagüeros, porteros, serenos, varios vagabundos y tal vez un soldado con licencia— a los que pagaba religiosamente a pesar de su pobreza. No había amores para Virgilio: sólo la acción sexual, sodomía súbita y su costo. A veces Virgilio retenía o simulaba retener el pago ritual después del coito y él mismo confesaba que nada le daba más placer que el *frisson nouveau* producido por la ira del amante alquilado todavía no pagado —«Nada de amante, niño», revelaba Virgilio. «En realidad un bugarrón de mala muerte»— y verse a punto de recibir una paliza por simular no soltar las monedas amorosas, morosas. Dos incidentes revelan estas divergencias sexuales de los dos poetas. (Pero antes debo decir que Virgilio detestaba la idea de tener comercio —la palabra nunca fue más adecuada— carnal con cualquiera siquiera levemente en contacto con la cultura y así el día en que un amante inminente le confesó *in passim* que le gustaba leer libros, Virgilio abandonó airado el cuarto, todavía a medio vestir y desapareció ante el asombro de su amante por venir. «Los hombres de verdad no leen libros», explicaba Virgilio. «La literatura es mariconería y para maricón, yo.») En una ocasión extraliteraria, Virgilio levantó a un negro formidable en el Parque Central y juntos fueron a una infecta posada en la calle Amargura (sin símbolos) y entraron al edificio y al cuarto. Virgilio atravesaba una de sus muchas crisis económicas y comía mal y poco y estaba más flaco que acostumbraba, metafísico estáis casi. Se quitó la ropa lo más discretamente posible, ya en la cama, casi bajo la sábana y cubrió con ella sus desnudos huesos lo más rápido que pudo. El amante («Un tronco de turco») tarifado sospechó que había algo extraño en aquella desvestida pudorosa y poderoso vestido fue hasta la cama y de un manotazo arrebató la sábana a Virgilio —para descubrir el cuerpo más o menos magro del escritor anónimo. El dante se explayó en palabras soeces («Cubrió mi cuerpo desnudo de oprobios», contaba Virgilio, maestro de picarescas), en denuestos, en improperios: «¡Un esqueleto! ¡Un maricón esqueleto! ¡Un esqueleto de mierda!», escandalizaba el ya no amante ante la visión desnuda, más sobreviviente de Buchenwald que Venus de Botticelli. Acto seguido el sodomita taxi, ofendido por haber sido presentado con huesos duros cuando esperaba nalgas propicias, un culo cómodo, glúteos máximos, se quitó el cinturón y atacó a Virgilio a cintazos bestiales, salvajes, como de esclavo hecho amo. Finalmente, antes de irse, Némesis negra, buscó en los bolsillos del pantalón descartado inútilmente y dejó a Virgilio azotado y sin dinero —pero feliz en su coito sin pene con gloria.

No eran para Lezama estas aventuras eróticas heroicas, quien tal vez las consideraría sórdidas y hasta vulgares. Por otra parte, al revés de Virgilio, Lezama era un homosexual activo no pasivo, distinción absurda para lo que otro escritor cubano, Calvert Casey, llamaba la «escuela moderna», que significaba un mundo de divergencias para lo que se puede considerar la «escuela antigua». Tanto Virgilio como Lezama abominaban de la felación mutua y el «cruce de espadas». Pero la misma militancia marcaba diferencias de aspecto y de comportamiento público. Virgilio era muy afeminado, apocado. Lezama tenía una virilidad valiente, que lo acercaba a lo que el personaje de comedia bufa Sopeira, gallego gallardo, llamaba un «caballero español». Lezama era un caballero cubano. Aun un mismo vicio los separaba: los dos fumaban mucho, pero mientras Virgilio, de perfil dantesco, encendía un cigarrillo tras otro y los sorbía con un abandono lánguido que parecía propio de Marlene Dietrich, Lezama, de rostro rudo, mordía un enorme puro eterno, que junto con su humanidad rotunda lo acercaba a una versión morena de Sidney Greenstreet, el actor que en los años cuarenta encarnaba la gordura acechante, villano bonvivant, en contraposición al malo siniestro aunque igualmente obeso de Laird Cregar. A menudo Cregar y Greenstreet parecían pederastas pasivos. Lezama nunca lo pareció. Como en el chiste del chusco habanero al calificar su revista de poetas pederactivos *Nadie parecía* —y todos lo eran.

Entre las «aventuras sigilosas» de Lezama está su encuentro con un efebo escribano que los años transformarían en un mal aprendiz de comisario cultural y al que una efímera fama como novelista revolucionario (según ciertos críticos cubanizados) otorgó un nombre y una atención que no merecía. No voy a nombrarlo pero sí quiero contar una de sus primeras salidas oportunistas. Este novelista cuando joven (ya entonces era ambicioso y ambiguo) se acercó adulador a Lezama, quien quedó prendado de su belleza. Es verdad que era falso pero era bello. Alto, esbelto, rubio, de ojos asombrosamente azules, y Lezama, al revés de Virgilio, siempre se dejó admirar por jóvenes bien dotados, mirándolos tal vez como posibles amantes o como futuros discípulos. Un día Lezama llevó al efebo literario, recién conocido, a una reunión en la finca frutal de un mecenas literario, entonces un poderoso periodista, enérgico y agresivo y rico y no el pobre exilado ecuánime que es hoy. Era un antiguo colaborador de *Orígenes* y protector de Lezama. Parecía que el orgulloso poeta no necesitaba padrinos pero siempre estuvo a su merced y los tuvo todopoderosos, innúmeros.

En la reunión el escritor, el efebo o lo que fuera entonces se sentó a los pies de Lezama, atento al amigo rumor del poeta. En un momento que se quedaron solos, recostado contra las robustas rodillas de Lezama, le dijo: «¡Qué manos más bellas tiene usted, Maestro!» Lezama, que nunca tuvo nada bello, entendió que el elogio a sus morcilludas manos era más bien un avance y decidió invitar a su adulador amigo a dar una vuelta entre la aireada arboleda. En un rincón recoleto Lezama trató (como contó el escritor) de besar los labios de su compañía, que sintió una súbita repulsión incoercible. Es posible que sucediera así pero era un sucedido íntimo. Al poco tiempo este efebo escritor se las arregló para editar una revista efímera en que publicó un cuento que se llamaba «El hombre gordo». Aquí relataba el incidente, añadiendo a la repulsión física bastante náusea literaria (el existencialismo estaba entonces de moda) y aunque no decía nombres la descripción de Lezama era exacta. Pero no contento con la publicación, el libelista hizo llegar un ejemplar de la revista a Lezama. Tal vez Lezama se sintió herido pero sus gritos fueron como siempre literarios. Sabiendo que el escritor efebo estaba viviendo en casa de un pintor tan chino como mulato y tan talentoso como malévolo, publicó en un próximo número de *Orígenes* la primera entrega de una novela en clave, verdadera *roman* a Klee, en que describía cómo una blonda criatura púber vivía con un pintor malayo y por las noches del vientre del pintor asiático se desprendía un gusano —que hurgaba en el cuerpo casi albino del huésped para introducirse obsceno. Tal vez ambas historias sean apócrifas pero lo que queda hoy es la mala literatura de «El hombre gordo» contra la prosa poderosa del relato del pintor malayo, su gusano insidioso y el efebo penetrado, hecho núbil de noche. De ese infierno íntimo surgió público *Paradiso.*

La única vez que los pasos pederastas de Lezama y Virgilio se encontraron fue en la esquina, a la vez piadosa y pervertida, del Callejón del Chorro. Allí, a un lado está la Catedral barroca y al otro estaba entonces un famoso prostíbulo de postín, supuestamente secreto —y masculino. No sé qué fue a hacer Virgilio por esos pagos, ya que, como siempre, estaba sin un centavo y a él no le interesaban los efebos bellos sino los hombres maduros, matones, mientras más pueblo bajo mejor. Lo acompañaba el compositor Natalio Galán, rico en ritmos pero pobre de solemnidad, aunque nada solemne. (Fue él quien contó, mucho mejor que yo, esta historia.) Galán hacía entonces labores de investigación para un novelista vuelto musicólogo, a quien su fama futura encubriría su avaricia. Natalio

Galán ganaba una miseria por descubrir viejos manuscritos musicales, hallazgos que serían atribuidos al autor y no al investigador. Al sol y de pie en aquella esquina *non sancta* y santa (Virgilio posiblemente sostenía su flaqueza contra el pilón fálico que marcaba la entrada del callejón), vieron salir del burdel de varones a Lezama. Apacible venía, con un puro recién encendido en la boca, en la cara un aire de satisfacción que tal vez se la produjera el tabaco o pensar un poema. Lezama notó a los dos artistas (que parecían más bien dos pícaros por su porte pobre y sus sonrisas cínicas), pero no se inmutó y en alta voz, con su acento asmático, dijo: «Qué, Virgilio, ¿también en busca del unicornio oculto en espesura?» A lo que contestó Virgilio, extrañamente, pues aunque podía ser ingenioso nunca fue culterano: «No, Lezama, cubrimos el mismo coto de caza». Natalio ahora me puntualizó: «Era la única forma que Virgilio podía en ese momento decirle a Lezama: *We both cover the waterfront*».

Lezama vivió siempre en la misma casa de la calle Trocadero, eternizándola. Pero Virgilio tuvo que vivir en muchos pueblos y en muchas casas, entre ellas, significativamente, en Panchito Gómez, calle cubana si las hay. También vivió solo en muchos cuartos solitarios, siempre móvil, perseguido por el alguacil de desahucios y bugarrones baratos pero insatisfechos, no sexualmente sino pecuniariamente. Habitó Virgilio, entre otros infiernillos, la infame azotea de Malecón y Paseo del Prado, donde todos los inquilinos eran pobres pero pederastas. Fue allí que Virgilio supo que su vecino, otro famoso poeta cubano, Emilio Ballagas, abandonaba su habitación homosexual, se convertía en católico comulgante y confeso y abjuraba de sus vicios contra natura para casarse por la Iglesia. No había pasado una semana de esta partida púdica, de tal juramento y de ese voto cuando regresó Ballagas apresurado a pedirle prestado el cuarto a Virgilio. Ballagas había olvidado en su premura sexual el horror que sentía Virgilio a que alguien ocupara su cama que no fuera su amante ocasional —o mejor, momentáneo. Virgilio dijo que no redondamente y luego, pensándolo mejor, añadió: «Pero puedes usar el baño», refiriéndolo a los servicios sanitarios colectivos. «Gracias», dijo Ballagas agradecido. «Gracias, Virgilio, no lo vas a lamentar. Ya verás, es un marinero precioso, *une trouvaille.*» Ballagas desapareció escalera abajo para regresar al momento sin aliento, casi arrastrando a un marinero efectivamente —al que Virgilio reconoció enseguida como el efebo elegido que una vez se habían disputado en una riña entre rimas Lorca y el poeta colombiano Porfirio Barba Jacob, de muchos pseudónimos y pocos dientes. «Pero el efebo jacobino o lorquiano era ahora una ruina», contaba Virgilio. «Un marino fantasma que todavía vivía para cautivar como el holandés errante a los poetas pederastas.»

En otra casa aún más vieja que ese solar desolador consiguió Virgilio un cuarto. Era una casa casi cayéndose que debió ser desalojada hacía tiempo pero todavía estaba habitada y allí se refugió Virgilio, ruina entre ruinas. Un día fue a hacer uso de los servicios sanitarios cuya sanidad era sólo nominal. Sentado como meditando en la taza, súbitamente el piso cedió bajo su peso, que nunca fue mucho, y Virgilio, la fuerza de la necesidad contra la de la gravedad, todavía sentado sobre la taza, todavía en posición de pensador, fue a caer a los bajos, encima de una insólita mesa de planchar y entre unos chinos. Había caído en un tren de lavado chino. Toda la lavandería confucia se insultó con su presencia obscena: *alea dejecta est.* «Pero», contaba Virgilio, «a pesar de lo que debieron ser maldiciones cantonesas al principio, después fueron de lo más dulces y hasta me ayudaron a salir de la taza y de mi embarazo». Milagrosamente, Virgilio no se hizo ni un rasguño. Es evidente que los poetas peripatéticos mueren en la cama.

Lezama vivía rodeado de libros, de papeles, de pruebas de galera (siempre estuvo, desde 1937, envuelto en empresas editoriales: revistas, libros, publicaciones) y su asma se alimentaba del polvo que acumula el papel impreso. Virgilio nunca tuvo un libro y hacía gala de esta ausencia que no era carencia. «Están todos aquí en mi cabeza», solía decir. «¿Para qué los voy a almacenar en mi casa?» Me consta que en las dos casas en que le vi vivir no encontré nunca un libro. No creo siquiera que conservara ejemplares de sus propias obras.

Lezama y Virgilio no sólo coincidieron en la esquina del prostíbulo doblemente pecaminoso del Callejón del Chorro. Estuvieron también juntos en tareas más respetables. *Orígenes* los juntó pero duró poco la asociación. Pronto hubo entre ellos diferencias literarias, que se hicieron enseguida ojeriza, luego enemistad y más tarde trifulca. Finalmente coincidieron en otra esquina, la de los antiguos cuarteles del Lyceum and Lawn Tennis Club. A pesar de su nombre inglés y su aparente dedicación al tenis, el Lyceum era una sociedad cultural con una sala de actos (para conferencias, teatro y conciertos de música de cámara), un salón de exposiciones y una biblioteca muy bien dotada de libros modernos y la primera biblioteca circulante de Cuba. Todos sus locales eran públicos. Nunca supe si Virgilio y Lezama se encontraron en la biblioteca o en el salón de exposiciones (era por la tarde). Lo que sí sé es que los dos salieron a la calle a dirimir su contienda a la manera machista de los contendientes cubanos («Sal pa fuera y arreglamos esto» —simplemente no concibo ni a Virgilio, tan pugnaz, ni a Lezama, tan ecuánime, voceando ese reto) o de los lacónicos *cowboys* del oeste del cine. Pero rituales o silentes a la calle salieron y no bien cruzaron dos palabras o un silencio de más, cuando Virgilio salvó el seto ligero y se introdujo en los jardines. No hizo caso al aviso («Prohibido pisar el césped») y escarbando alrededor del flamboyán gigante buscaba algo. ¿Un tesoro oculto? ¿Un arma homicida? Lezama no atinaba a adivinar qué era la busca de Virgilio (la piedra filosofal, tal vez) cuando vio que no era una piedra sino muchas piedras. Cuando Virgilio consideró que ya tenía bastantes comenzó a lanzárselas a Lezama, más bien a dispararlas pero dirigidas todas a las poderosas piernas, a los pies planos de su enemigo antes literario, ahora mortal. Cada vez que veía venir una piedra Lezama daba un salto, más bien un saltico: todo lo que le permitía su gordura. Virgilio reía diabólico o divertido. Lezama por su parte dirigía amenazas verbales a Virgilio, habano todavía en la boca, advirtiendo: «Virgilio, te voy a pegar», pero este Goliath humeante no hacía nada por avanzar hacia su contendiente, David pedrero. Pronto hubo una turba de muchachos callejeros que presenciaban regocijados la escaramuza, la pelea de piedras contra palabras. Al final los golfos se incluyeron en el combate como coro: «¡Que salte el gordo! ¡Que salte el gordo!», gritaban esos malditos. Lo que no hacía ninguna gracia a Lezama que nunca toleró que le llamaran gordo, ni aun afectuosamente. Finalmente la pedrea cesó porque Virgilio se quedó sin municiones y los muchachos se volvieron a vituperar a Virgilio. Terminado el duelo irregular, cada contendiente se fue por su lado literario —pero no se volvieron a hablar.

Virgilio dejó el país en una suerte de exilio literario. Escogió Argentina como destino y allí vivió dieciséis años, trabajando en el consulado como mero escribano, viviendo en Buenos Aires una vida tan precaria como en La Habana, pobre payador. Lezama siguió sacando *Orígenes* y publicando poemarios y libros de ensayos, recorriendo obsesivo una misma calle de La Habana Vieja que no por azar era la calle de las librerías. Viajó una sola vez a México, invitado por su protector periodista. La nunca olvidada muerte del padre en Estados Unidos había convencido a toda la familia de que el extranjero mata y Lezama no estuvo una semana fuera. El viaje produjo un poema extraordinario, «Para llegar a la Montego Bay», con una línea que no por parodiable deja de ser menos hermosa y característica: «Permiso para un leve sobresalto». La fama local de Lezama era cada vez mayor, a pesar de su creciente oscuridad, que el trópico no permite. En una ocasión un intelectual que leía por los ojos de Ortega, Jorge Mañach, vocero de la generación de 1927, emprendió en la popular revista *Bohemia* una pedrea más dolorosa que la de Virgilio: trató de lapidar a Lezama, de levantarle una tapia para siempre. Lezama respondió con su acostumbrada prosa impenetrable. Perdió la polémica pero ganó la poesía. Sus seguidores se convirtieron en discípulos y consideraron a Lezama un verdadero maestro, un profeta regalado, con adulación no siempre genuina ni devoción fiel, como lo iba a demostrar el tiempo. Virgilio, por su parte, consiguió cierto nombre continental, pero nadie reconoció su real importancia. Después de todo, él fue un pionero de la literatura del absurdo y en su obra teatral (Virgilio pudo expresar su genuino dramatismo en un teatro cubano y a la vez universal, lleno de humor paródico y gusto por la paradoja), especialmente en *Falsa alarma,* escrita en 1948, dos años antes de que Ionesco estrenara su *Cantante calva.* Allí fue uno de los primeros en descubrir la realidad (teatral) como absurdo metafísico.

Una diferencia literaria (en verdad un distanciamiento personal y estético) hizo que José Rodríguez Feo, el patrón gracias al cual se publicaba la revista *Orígenes,* y Lezama se separaran agriamente. Rodríguez Feo publicó su versión de *Orígenes,* mientras Lezama trataba en vano de continuar la suya con sus pobres medios. Lezama tuvo que renunciar a su empeño y Rodríguez Feo editó entonces, muerta *Orígenes,* una revista literaria llamada temporalmente *Ciclón,* que costeó y dirigió. Este cisma casi religioso parecería ser la causa que devolvió a Virgilio a Cuba, en peso en la isla. Pero su vuelta definitiva no se produjo hasta dos años más tarde, en 1958. Nadie podía concebir a Virgilio como funcionario y él luego confesaría que parte de su tiempo lo empleó en Buenos Aires, como en La Habana, dedicado a cierta picaresca más o menos literaria para poder sobrevivir y que antes del flamante cargo consular (en realidad mero amanuense) había tenido que convertirse en traductor de idiomas que no conocía y hasta corrector de pruebas nocturno. Si su libro *Cuentos fríos* había aparecido bajo el sello prestigioso de la Editorial Losada (que confería un aval sudamericano a una colección de cuentos cubanos) fue porque desde La Habana, Rodríguez Feo pagó la edición íntegramente. Rodríguez Feo, aun antes de romper con Lezama, ya protegía a su rival retador. Pero no sólo eran lazos literarios los que unían a Virgilio y a Rodríguez Feo —sin olvidar la derrota infligida a Lezama por este antiguo socio mayoritario. Había la vieja simpatía de los días que vieron nacer al *Orígenes* original y ese *mystic bond of brotherhood* (Virgilio insistiría que era *of sisterhood)* en que completaba la inestable trinidad pecadora con Lezama: el homosexualismo. Al mismo tiempo que los separaba de Lezama, unía a ambos ambiguamente una falta particular: la mariconería. Lezama tendió siempre a la respetabilidad y su misma pederastia podía ser tomada como una forma íntima de su magisterio. Virgilio, ya lo hemos visto, era todo menos respetable. En cuanto a Rodríguez Feo, cultivaba una imagen de playboy invertido. Aparatosamente rico, vivía en el penthouse de un moderno edificio de apartamentos de su propiedad en El Vedado y salía a recorrer La Habana —en realidad a ligar, eso que en inglés se llama *cruising,* esta vez un verdadero crucero en su enorme convertible— en busca de aventuras, sus objetos amorosos casi siempre jóvenes, casi siempre atléticos, casi siempre semidesnudos. Casi el colmo, a mediados de los años cincuenta, Feo se ocupaba preferentemente de atender su bar en la playa de Guanabo, en que los dependientes parecían más que barmen versiones cubanas de Charles Atlas de pelo en pecho desnudo. De convertirse para siempre en una Mae West morena, vino a salvar a Rodríguez Feo la polémica intra-*Orígenes* y el regreso de Virgilio. Todos (Lezama, Virgilio, y Rodríguez

Feo) fueron sorprendidos en sus funciones diversas por el triunfo de la Revolución. Ninguno tenía la menor idea de lo que era la política. Para Virgilio la insurrección era siempre literaria y Lezama la entendía como una desobediencia estética. Nadie parecía preparado para lo que vendría. Los futuros avisos de un armagedón interno serían una falsa alarma.

Ya he contado cómo salvé a Lezama Lima de una suerte peor que la muerte: la ignominia de aparecer como un funcionario del aparato cultural batistiano y cómo Lezama celebró la Revolución, bien temprano, llamándola un «acontecimiento auroral» —todos éramos así de crédulos. Virgilio (que había renunciado o sido dejado cesante por el consulado cubano en Buenos Aires) pudo integrarse fácilmente en nuestra versión de la Revolución. Yo lo traje al periódico *Revolución,* con la invitación expresa de Carlos Franqui, su director, y luego pasó a formar parte del equipo de colaboradores de *Lunes de Revolución.* Rodríguez Feo, quien a pesar de su bar de atracciones y de su dinero, era el único de ellos que tenía conciencia política, llevó su adhesión a la Revolución tan lejos que cedió voluntariamente su rascacielos a la Reforma Urbana (que de todas maneras le habría confiscado el edificio), incluyendo su penthouse (que hubiera podido conservar) y se deshizo del bar público, burdel privado. Virgilio fue mal acogido al principio en el periódico (su fama de maricón había llegado hasta la dirigencia del 26 de Julio, que era, como toda la Revolución, ostentosamente machista: no había más que ver caminar a Fidel Castro o al Che Guevara, mientras Virgilio tenía una pinta de pederasta que toda su voluntad no alcanzaba a borrar), pero pronto su industriosidad y su valer literario (además de su conducta impecable, ayudada en verdad por el hecho evidente de que no había derrelictos tentadores en la redacción del periódico y porque le pedí que no fuera a curiosear por la entrada de vendedores y me prometió que nunca buscaría por esos pagos —argentinismo—, promesa que cumplió siempre) le ganaron el respeto de todos, aun de los machos muchos.

No recuerdo si Virgilio estuvo entre los que alentaron a Heberto Padilla a escribir su salvaje ataque contra Lezama que publiqué en el magazine, que era casi una condena oficial no sólo a la persona sino al arte poético de Lezama. (Cuando lo vi publicado tuve la impresión de que había soltado una jauría contra un hombre atado.) En todo caso, Virgilio se llevaba muy bien con Padilla también venido de un breve exilio americano, al igual que Virgilio un exilado económico y cultural no político y hombre de lengua peligrosa y pluma bífida. Virgilio y Padilla tenían en común además la antipatía que gozaban contra otro colaborador del magazine, el poeta José Baragaño, que regresó de un exilio complicado (poético-político-paterno) pasado en París y a quien invité como colaborador, nuestro surrealista a sueldo, solidario. A Baragaño, que odiaba profundamente a Lezama, odio que iba más allá de las diferencias estéticas, le complació el ataque hecho por su coterráneo Padilla (pronto reanudaron su vieja relación provinciana al amor de la lumbre polémica de Padilla, poeta pinareño). Virgilio, como en un acto de equilibrio estético, escribió una columna en que atacaba la persona de Baragaño (lo llamó vago, sablista y hasta creo que políticamente oportunista) pero hacía un desmesurado elogio del poeta Baragaño. Éste pasó por alto los ataques personales y leyó solamente el encomio poético. Equilibradas estas fuerzas literarias divergentes, pude al poco tiempo (con la ayuda de Pablo Armando Fernández, otro poeta exilado económico en Nueva York, y regresado para trabajar en *Lunes* como subdirector y que era además un diplomático nato) obtener una colaboración especial de Lezama para publicar (con la oposición natural de Virgilio, Padilla y Baragaño) en un número especial subtitulado «A Cuba con amor». Le encargué a Lezama que hablara de comida cubana. Olvidado del insulto tal vez por la comida, el oscuro poeta escribió un claro y erudito ensayo sobre el origen, a veces exótico, de las frutas cubanas, que fue la colaboración más perenne del número.

Lezama fue ascendiendo en la escala oficial poco a poco hasta llegar a ser uno de los asesores literarios de la Imprenta Nacional. En esas labores nos volvimos a encontrar, pues no lo veía desde los días que dirigí brevemente la Dirección de Cultura (que luego se volvería Consejo Nacional de Cultura, controlado por los comunistas) encuentro penoso por no decir patético. Lezama se veía ahora más seguro no como poeta sino políticamente: sugirió algunos títulos —*El proceso* de Kafka— que Alejo Carpentier encontró «poco propio a nuestra realidad». Virgilio, por su parte, se convertía en el primer dramaturgo cubano, estrenando obras o reponiendo sus viejos éxitos paganos, como *Electra Garrigó,* tragedia nacional que era una parodia de su modelo griego y a la vez una utilización de formas populares cubanas, como *La Guantanamera.* Él fue el primero en rescatar de la crónica roja (criminal, no comunista) de la radio ese ritmo, rescate que sirvió como base a la versión actual de la vieja tonada campesina, ahora convertida por los ignorantes en una especie de himno revolucionario, gracias al oportuno compositor Pete Seeger y a un cubano exilado de la Revolución. Como contribución a la ironía histórica debo decir que el autor de la melodía *La Guantanamera,* caído en desgracia artística, cantó el coro en una reposición de *Electra Garrigó,* durante la cual Virgilio se sentó entre Simone de Beauvoir y Jean-Paul Sartre, quienes aplaudieron entusiasmados aunque no entendieran una palabra. Para Virgilio fue una forma de gloria literaria pero Virgilio desconfiaba de la posteridad efímera que es el éxito. Tenía razón. Hace poco murió Joseíto Fernández, el cantante que Virgilio rescató, autor de una sola canción, esa *Guantanamera* oficial ahora. Su obituario apareció en *The Guardian* y *The Herald Tribune* —y tengo derecho a suponer que también en *The New York Times* y *The Washington Post,* además de innúmeros diarios latinoamericanos, siempre suscriptores. Cuando murió Virgilio no apareció no ya un obituario sino siquiera una nota en ninguno de esos periódicos, con excepción de *El País* de Madrid. La ironía es también política: la nota obituario de Joseíto Fernández venía avalada por la agencia cubana Prensa Latina. Virgilio Piñera no estaba en el panteón de cubanos ilustres y murió anónimo.

Lezama siempre aspiró a la condición de maestro absoluto. Su misma presencia masiva, su estilo casi oratorio al hablar era paradigmático tanto como carismático y asmático, su pose estudiada o sabia, siempre reposada, servían a su propósito —y tuvo discípulos y hasta apóstoles y entre ellos, no podía faltar, un Judas propicio. Pero Virgilio, a pesar de su horror a los maestros (en *Electra Ga-*

rrigó un personaje de burla es el Pedagogo), su ausencia de tono magistral y su inhabilidad para sentar cátedra (aunque se hacía oír cuando quería) también tuvo sus seguidores, muchos demasiado cercanos para su mal —el de ellos no el de Virgilio. Al revés de Lezama, los discípulos de Virgilio estaban entre la generación más joven. Puedo citar dos nombres porque tienen ambos un puesto en la historia del teatro cubano (los discípulos estrictamente literarios, entre cuentistas y novelistas, no merecen ser citados y el propio Virgilio los repudiaba: «No saben», decía, «que la literatura no es estilo sino respiración», en lo que se acercaba a Lezama más de lo que habría admitido) y son Antón Arrufat, que también era del comité de colaboradores de *Lunes* y José Triana, que publicó una de sus piezas mejores en el magazine. Los dos homosexuales, los dos sufrieron atropellos por sus preferencias sexuales y en un caso (el de Arrufat) por su obra. Hasta en la persecución el maestro renuente precedió a los discípulos decididos.

En 1961 Virgilio me pidió permiso para ausentarse del magazine por un tiempo y dar un viaje a Europa, invitado a Bélgica por un viejo amigo, escritor esporádico y ahora secretario de la embajada cubana en Bruselas como antes había sido funcionario en Buenos Aires. A su regreso Virgilio, dramáticamente, absurdamente, no bien bajó del avión sintió un impulso irresistible de besar la tierra cubana —sin darse cuenta de que besaba en realidad el asfalto de la pista de aterrizaje. Esta falla debió verla Virgilio, que conocía bien la tragedia griega, como una forma de hybris. Sin embargo parecía muy contento de haber regresado a Cuba. A los pocos días se vio envuelto peligrosamente en un acontecimiento histórico.

De por medio estuvo el desembarco de Bahía de Cochinos y Virgilio celebró la victoria con los mismos ditirambos con que lo hicimos todos en el magazine y en todas partes. Pero éste no es el acontecimiento histórico a que me refiero. Ocurrió que unas semanas después del triunfo de Playa Girón, mi hermano Sabá y el fotógrafo Orlando Jiménez estrenaron en el programa *Lunes de Revolución en Televisión* un corto filmado a fines del año anterior que celebraba cinemático la noche y la música cubana, la cámara y el micrófono captando su varia vitalidad en bares de La Habana Vieja y en los muelles y el barrio de Regla, al otro lado de la bahía. Cuando los dos cineastas enviaron el film para que obtuviera licencia de la Comisión Revisora de Películas (organismo heredado de gobiernos anteriores) ésta se mostró como el instrumento de censura que en realidad era y secuestró la copia. Ya desde fines de 1959 existía una rivalidad enconada entre el Instituto del Cine y el periódico *Revolución,* por interpretaciones encontradas de la calidad de la cultura en Cuba, el Instituto del Cine cada vez más estalinista. Pero esta medida de ahora era realmente el colmo de la polémica: era la primera vez que se censuraba en Cuba una obra de arte, por motivos no políticos sino por su tema artístico. Además, como en toda obra de arte, su fondo era su forma y resultaba no sólo negativa sino adversa al momento. El totalitarismo, que aspira a la historia, cuida su eternidad como el cuerpo su piel.

El magazine protestó mediante un manifiesto que firmaron cerca de doscientos escritores y artistas. Por esos días se preparaba el Primer Congreso de Escritores y Artistas, evento que habían concebido los comunistas y era apoyado no sólo por los intelectuales y dirigentes comunistas, sino personalmente por el propio presidente Dorticós, mera marioneta. Coincidentemente Fidel Castro había declarado a Cuba socialista sólo unas semanas atrás. Ante el manifiesto, amenazadoramente público, contra el secuestro de la copia de *P. M.* se optó oficialmente por posponer el Congreso y en su lugar se celebraron tres reuniones, una cada viernes, con los escritores y artistas en la Biblioteca Nacional. El evento era secreto y exclusivo como un club siniestro. Participaron más de quinientos intelectuales (que tenían que identificarse debidamente en la puerta: *Ego sum scriptor)* y presidida por Fidel Castro, el presidente Dorticós y la plana mayor cultural oficial.

La importancia de las reuniones parecía ser decisiva. Como director del magazine y del programa de televisión yo me encontraba en esa mesa presidencial, que me resultó ofensiva desde el primer día. Después que se abrió oficialmente el acto, el presidente Dorticós pidió estentóreo que cada uno dijera francamente lo que tuviera que decir no sólo con respecto a la película (que antes se exhibió a todos los participantes), a su secuestro (que él no llamaba prohibición sino interdicción, como si no fuera lo mismo pero este ignorante abogado, antiguo comodoro del Yacht Club de Cienfuegos, en el curso de su discurso dijo varias veces ¡deleznable!) y a la situación del intelectual en la Revolución. Tras esta última palabra se hizo el vacío y el silencio, que crecieron embarazosos. Ya iba a decir Dorticós: «Hablen o cállense para siempre», cuando de pronto la persona más improbable, toda tímida y encogida, se levantó de su asiento y parecía que iba a darse a la fuga pero fue hasta el micrófono de las intervenciones y declaró: «Yo quiero decir que tengo mucho miedo. No sé por qué tengo ese miedo pero es eso todo lo que tengo que decir». Era por supuesto Virgilio Piñera que había expresado lo que muchos en el salón sentían y no tenían valor de decir públicamente, ante aquel panel imponente, frente a la presencia temible y armada de Fidel Castro.

El resultado de esas reuniones es de sobra conocido. Pero es bueno recordar cómo la película fue no sólo prohibida sino condenada, cómo se decretó la desaparición de *Lunes de Revolución* y cómo los estalinistas se hicieron no solamente con el poder cultural sino con el poder total en Cuba. Fidel Castro, revelado como el primer estalinista, pronunció su larga diatriba contra la cultura liberal o simplemente libre, terminando con su versión de un credo totalitario: «Con la Revolución todo, contra la Revolución nada». Los aparatos del partido y del poder determinarían dónde terminaba el con y empezaba el contra. Ciertamente *P. M.* caía en una suicida tierra de nadie: la peliculita era visiblemente arrevolucionaria.

En esas reuniones ocurrieron intervenciones diversas, muchas que mostraban hasta qué punto *Lunes* era odiado por temido, temor que producían sus criticas literarias teñidas de matiz político y al mismo tiempo pronunciando juicios que respaldaban la autoridad del periódico *Revolución,* su fuerza moral pero ya no el órgano oficial del Movimiento 26 de Julio que había sido en 1959 y 1960. Aparte de la intervención de Virgilio se destacaron dos más disímiles. Una fue virulenta, de odio concentrado, hecha por un escritor español exilado, antiguo cronista casi social, mediocre novelista, pretenciosa persona y rencorosa personalidad, dentista de lujo y ahora aspirante a diplomático, quien aprovechó para organizar un discurso que era a la vez saldo de cuentas (cobrándose una vieja crítica adversa que le había hecho Antón Arrufat, no a su arte de dentista sino a su mala práctica novelística en 1959) y una tunda de golpes de pecho —que le valieron ser nombrado embajador en el Vaticano. Nadie tan oportunista podía ser mal diplomático y además era católico converso. La otra intervención, característica, fue la de Lezama, viejo católico y atacado atrozmente en *Lunes.* Si alguien tenía que sentir animadversión por el magazine era Lezama y aquél era el momento de aventar sus viejas quejas y unirse al carro, al corro. Pero Lezama se limitó a hablar de literatura, de la eternidad del arte y la permanencia de la cultura. Si hizo una referencia a *Lunes* fue para decir que era propio de la juventud cometer excesos, la juventud literaria cometía excesos literarios. Lezama era la personificación de la generosidad, en la literatura y en la vida, verboso tanto como generoso.

Ahora que *Lunes* estaba teóricamente prohibido (la verdadera prohibición no ocurriría hasta octubre: no había por qué dar un semblante de culpa y castigo), todos sus colaboradores evitamos continuar las tertulias que coincidían con su factura para no crear dificultades a *Revolución,* que era la verdadera Diana. *Lunes* fue un mero chivo expiatorio. Las reuniones literarias se desplazaron a mi apartamento de La Rampa y a veces ocurrían en Miramar, en la casona de Pablo Armando Fernández, pero principalmente tenían lugar en la casa de Virgilio en la playa de Guanabo. Era más bien un bungalow por su tamaño y aspecto playero, aunque quedaba lejos del mar. No había en ella, como en ninguna de las casas de Virgilio, un solo libro y tampoco se veían señales de que escribiera nadie allí, excepto por una vieja Remington en un rincón ruinoso. Nos reuníamos, obligados por la casa reducida, en el patio, debajo de un copioso aguacatero, hecho memorables aguacates en la mesa al comer los spaghetti. Allí fueron con nosotros escritores extranjeros, siempre mal vistos dondequiera, siempre bienvenidos en casa de Virgilio. (Todos menos el escritor americano que llamó a Virgilio, creyendo que le rendía un homenaje *beatnik: Virgil, you are a beautiful queen.* Virgilio no le perdonó nunca que le llamara reina, aun como cumplido, sobre todo como cumplido.) Esa serie de reuniones íntimas, como el amor de aquella muchacha sueca del cine, no duró más que un verano.

No mucho tiempo después, Virgilio fue atrapado en la infamante Noche de las Tres Pes. Ésta fue una operación moral-marxista, dirigida contra prostitutas, proxenetas y pederastas habaneros y se suponía que tuviera lugar en el centro de la ciudad, con un radio de acción de unas cuantas cuadras alrededor del barrio de Colón (donde, cosa curiosa, siempre vivió Lezama), que era la Zona Roja y se hizo en el mayor secreto y súbita. Pero, ¿cómo si Virgilio vivía en la playa de Guanabo, a treinta kilómetros de Colón, vino a resultar preso? ¿Estaba en La Habana cerca del barrio de las putas? ¿Visitaba a su padre acaso, aunque éste vivía en Ayestarán, al otro lado de la ciudad? Nada de eso. Virgilio había permanecido todo el tiempo en su casa de la playa. Sucedió que había sido señalado como pederasta.

Su notoriedad sexual fue siempre, bajo gobiernos constitucionales y bajo dictaduras, con Grau y con Batista y con la Revolución. Pero ahora era un pederasta peligroso. Virgilio, para colmo, ni siquiera fue prendido en la noche notoria. Ocurrió por la mañana, temprano, al día siguiente. Como hacía siempre, se dirigía al amanecer a tomar café en el puesto vecino y como acostumbraba iba vestido con shorts, camisa de sport y sandalias de playa, atuendo que la Revolución consideraba decadente. En la cafetería fue abordado por un desconocido que le preguntó su nombre y por un momento, al decir Virgilio Piñera, pensó que había hecho un levante madrugador. Pero el trabado desconocido dijo simplemente: «Está usted preso». Virgilio no lo quería creer o creyó que era una broma al principio, pero no era una broma. El desconocido se identificó con un carnet y dijo: «Acompáñeme». Como K. V. se sintió instantáneamente culpable aunque ignoraba su delito. Virgilio pidió regresar a cambiarse de ropa: era ridículo ir preso en ese atuendo. Le fue concedido volver al bungalow.

Por el camino reunió valor suficiente para preguntar a su ¿custodia: «¿De qué se me acusa?» El policía le dijo: «De atentado contra la moral». Era la misma moral burguesa que condenaba a Virgilio antes, sólo que nunca había sido detenido, sino simplemente marginado, alienación que el propio Virgilio parecía buscar entonces. Para complicar las cosas ahora el policía le dijo en el portal que quería registrar su casa. Tocó la casualidad que Virgilio tenía como huésped en su otro cuarto a un teatrista amigo al que acompañaba un muchacho, su amante. El agente cargó con los tres para la estación de policía de la playa. Fue de allí que me llamó Virgilio. No me había encontrado en casa porque yo estaba haciendo guardia de milicias voluntarias pero compulsivas temprano en el periódico *Revolución*. La llamada me extrañó no sólo por el tono neutro de Virgilio (siempre fue muy afeminado de voz y de gesto) sino por lo que me dijo: «Estoy preso», susurró solamente y al yo reponerme de la extrañeza que se había hecho asombro y poder preguntarle por qué, añadió: «Por Paderewski» y marcó mucho las pes. «¿Por qué cosa?», le pregunté y él insistió con cuantas pes pudo: «Por Paderewski. Pederawski. ¿Entiendes?» Al final de su pianissimo entendí. Virgilio quería decir que estaba preso por pájaro, pato o pederasta y era evidente que estaba preso y no podía o temía hablar abiertamente. Me pregunté qué sacaría la policía en claro de esta clave tecleada, pero nunca me pregunté qué diría Paderewski de su nombre usado como máscara sexual. Virgilio sonaba ansioso y le dije que no se preocupara, que todo se arreglaría, aunque conocía la naturaleza de su crimen no conocía su historia. Pero ya esa mañana se sabía de la redada y de la Noche de las Tres Pes en el periódico —y en la UPI y en la AP. Llamé inmediatamente a Carlos Franqui a su casa. Sonó muy preocupado (él también sabía del raid) pero me dijo: «Llama a Edith García-Buchaca», que estaba en la cumbre del poder cultural antes de caer en su desgracia política, inexplicable todavía. Ella se mostró primero extrañada y luego tan preocupada como Franqui pero mucho más decisiva. Me dijo que ella iba a llamar a Carlos Rafael Rodríguez, que no era entonces tan poderoso como ahora pero con todo tenía bastante punch político. Antes de colgar, la Buchaca me aseguró que todo se arreglaría.

No tuve otras noticias esa mañana excepto la visita de Franqui que rara vez iba temprano por el periódico. Habló conmigo confidencialmente (ya se temía que había agentes no precisamente de prensa en el periódico) y trató de excarcelar a Virgilio con dos o tres llamadas tan inefectivas ahora como habrían sido efectivas en el pasado. Cuando terminé mi guardia me fui a casa. Fue allí que me enteré que el conocido teatrista y su amante también estaban presos con Virgilio. Hubo otras llamadas —entre ellas de Arrufat y Triana, preocupados no sólo por Virgilio sino por sus propias personas. Ese pánico es usual entre los discípulos cuando arrestan al maestro. Me imagino que igual ocurrió en Atenas y en Jerusalén en épocas diversas. Aunque Virgilio era un Sócrates secreto, no lo concebía bebiendo la cicuta y la Revolución, que tenía sus mártires elegidos, no iba a crucificar al autor de *Jesús.*

Aunque intranquilo esperé paciente por la decisión de los poderosos. A las cinco de la tarde me llamó Edith García Buchaca para decirme el veredicto sin juicio. Iban a poner en libertad a Virgilio enseguida, encarcelado ahora en el castillo de El Príncipe. Allá me dirigí para esperar su salida de prisión y pude ver a Virgilio, bajando las escaleras con el cuidado que bajaría la pirámide de Gizeh, temblando no por los escalones, que eran muchos pero no pinos, sino por el miedo del prisionero que queda libre. Yo lo conozco: siempre hay el temor de que puedan ponerte preso otra vez. Lo acompañaban en su descenso el teatrista y su amante. Cargué con los tres para casa, que era entonces un apartamento de dos cuartos en el piso veintitrés de un edificio en La Rampa. Pronto se llenó mi casa de gente que daba la bienvenida (las noticias clandestinas suelen ser más rápidas que las oficiales) a Virgilio como si acabara de regresar de acompañar al Dante por su paseo por el Infierno —¿y quién me dice que no fuera una temporada en Hades la que acababa de pasar Virgilio? Parte de su ordalía, según me contó después, fue encontrarse entre presos contrarrevolucionarios que al saber no que era un poeta pederasta prisionero sino un colaborador de *Revolución,* lo trataron como un colaboracionista y le pegaron y amenazaron con pelarlo al rape. Esa tarde vinieron con el regalo de su adhesión pseudodiscípulos y verdaderos admiradores y colegas, algunos hoterosexuales. Virgilio no estaba para homenajes a un autor que se quería anónimo ahora. Esa noche Virgilio no se atrevió a dejar mi refugio y se quedó a dormir con nosotros. Sus compañeros de prisión, el teatrista y su amigo íntimo, tampoco quisieron salir al aire aromático de la noche tropical, que era para ellos el verano de su malcontento. Ambos durmieron en la sala, en el suelo, separados. Nosotros le dimos nuestra cama a Virgilio. Mejor dicho no toda la cama, sino el *box-spring* y el colchón lo tendimos en el suelo de mi estudio y allí dormimos Miriam Gómez y yo, todos vestidos: más cautos que castos. Al día siguiente el teatrista (que vivía absurdamente apenas a tres cuadras, en la misma zona de La Rampa) y su amante se fueron, confundiéndose con la multitud más o menos normal que pululaba por La Rampa día y noche, de tránsito, paseando o buscando pareja. Varios días después Virgilio se atrevió a regresar a su casa de la playa.

Por la tarde venía yo del Canal 2 (todavía *Lunes de Revolución* no había sido suprimido ni su programa de televisión clausurado) con Pablo Armando Fernández, caminando los dos con ese paso paciente del atardecer en el trópico, pasando junto al cine La Rampa, antaño tan estrenador, siguiendo por la acera del otrora Edén Rock, restaurante ahora llamado Volga, del lado del Marakas, cafetería aledaña a La Zorra y El Cuervo, nightclub, y de pronto, no sé por qué rara razón, miré hacia mi edificio, recorrí su fachada bicolor con la vista —y allí en el balcón del piso veintitrés se podía ver la figura esbelta pero disminuida por la altura de Miriam Gómez que levantaba el brazo. Alcé el mío para saludarla pero vi que movía los dos brazos ahora, que sus movimientos pasaban de ser meros saludos para convertirse en señales frenéticas de auxilio, convocándome urgente. Ante el asombro de Pablo Armando y sus protestas eché a correr hacia el edificio, hasta los elevadores (que como ocurre siempre estaban en otro piso) para esperar impaciente a que bajaran, uniéndose a mí Pablo Armando, tratando yo de adivinar qué pasaría, imaginando los más terribles desastres, a mis hijas con mi madre, a toda la familia —una catástrofe. Estaba a punto de echarme a subir por las escaleras hasta el piso veintitrés, cuando se abrió un elevador. Al llegar a mi puerta estaba abierta. Dentro vi a Miriam Gómez angustiada, sin saber qué hacer ni poder decir nada, señalando para una silla de paja colonial, blanca —donde estaba derrumbado aparentemente inconsciente, más pálido que la paja, Virgilio Piñera. Pregunté qué pasó y Miriam Gómez me respondió, repuesta, con una frase muy habanera que a Virgilio le había dado un aparato. Ella ya había llamado al médico.

Ocurrió, según Virgilio pudo apenas comunicarlo a Miriam Gómez antes de desmayarse, que fue, como había planeado, a Guanabo, de regreso a su casa —para encontrársela sellada «por las autoridades competentes». Virgilio era tratado ahora como una persona en fuga, un enemigo del Estado, un prisionero político— después de haber sido perseguido como un delincuente sexual. Es verdad que este tratamiento era por persona interpuesta o en este caso por casa intermedia. Imagino el choque que debió haber sido para Virgilio encontrarse con la única casa que había tenido en su vida (aunque alquilada, era suya y era una casa no los cuartos, cuando no tugurios, en que había vivido en el pasado) y saberse de pronto peor que desahuciado, legalmente excluido, excomulgado —que era tanto como estar incomunicado libre.

Ahora Virgilio yacía tumbado en la silla blanca, blanco como su asiento, recobrado un tanto el conocimiento mientras el médico lo reconocía minucioso. «Este hombre ha sufrido un colapso», fue su diagnóstico, que en la terminología médica cubana podía significar desde un colapso cardíaco hasta un colapso nervioso. Me incliné por la última opción como probable. El médico extrajo de su maletín una jeringuilla y se dispuso a inyectar a Virgilio, a quien el horror a las inyecciones hizo recobrar todo el conocimiento perdido. «No es nada», dijo el médico, mientras lo inyectaba. «Ahora tiene que descansar, pasar una temporada en la playa», ironía médica sin duda.

Tres días y tres noches descansó Virgilio en mi casa, durmiendo ahora en toda la cama. Al tercer día, resucitado, insistió que yo lo acompañara a Guanabo, a recobrar su casa. Era, evidentemente, una obsesión: volver a la playa, volver a su casa. Pero había una razón para su sinrazón. Fuimos los dos a Guanabo en mi máquina. Llevábamos un salvoconducto para Virgilio firmado por Edith García-Buchaca. Todo el viaje Virgilio no hizo más que rogar por que no le hubieran registrado la casa antes de sellarla, una y otra vez en una letanía por la inviolabilidad de su domicilio. Para mí era incomprensible la preocupación de Virgilio por su casa, virgo intacta invitando violadores. Su interior no contenía más que unos pocos muebles pobres, una decrépita máquina de escribir y, tal vez, muchos manuscritos. ¿Serían éstos la fuente de su preocupación? Por un momento pensé que Virgilio estaba tal vez escribiendo un cuento o una novela o una comedia contrarrevolucionaria. De pronto me oí diciéndome que si una película tan inocente como *P. M.* podía ser considerada atentatoria a la estabilidad revolucionaria, cualquier cosa podía ser contrarrevolucionaria, aun el mismo teatro de Virgilio, tan absurdo —tal vez por ser absurdo. No creo porque es absurdo. No era el momento de no creer ni de ser absurdo. Pero Virgilio dejó de rogar por su casa interior para decirme: «Es todo culpa de ese maldito hombre». Pensé que culpaba maldiciendo a Fidel Castro, pero le pregunté qué hombre y qué culpa. Me dijo el nombre de un notorio homosexual que ya había abandonado el país, pederasta activo. «Me dejó esas cochinadas. A mí. Todavía si se las hubiera dejado a Pepe Rodríguez Feo, que le gustan, ¡pero a mí! Ni siquiera me interesan. Nunca me han interesado. Soy loca sí pero no libertino.» Lo que yo sabía, pero le pregunté por las fotos que no conocía. «Fotos, qué van a ser», dijo como si mi pregunta irrumpiera en su discurso. «Postales, de muchachitos desnudos de espalda, de levantadores de peso en pelotas, de penes enormes. Porquerías. Postales pornográficas. No sé por qué las acepté pero me rogó, me dijo que no tenía dónde dejarlas, que mandaría por ellas con un propio. Un impropio debió decir.» Virgilio era un homosexual curiosamente moral, pero no de una moral moderna sino casi victoriana, un pudibundo y lo más alejado que había de un libertino, como él decía. Le dije que no se preocupara, que no iba a pasar nada, que todo había sido una confusión cotidiana y los equívocos rara vez se repiten. Claro que yo creía lo contrario: los errores, como las erratas, se multiplican alarmantes.

Llegamos al cuartel de la policía de Guanabo, una casa cualquiera, lo que me tranquilizó pero no a Virgilio, que ya había estado allí una vez. Después de bastante esperar tuve mucho que explicar y otro tanto que ocultar para lograr convencer a aquella gente armada, con diferente uniforme pero la misma suspicacia policial de siempre, que Virgilio estaba en el país, que era un ciudadano (claro que no usé esta palabra: ya había comenzado a hacerse una distinción moral y sobre todo política entre los cubanos que merecían el tratamiento amigo de «compañero» y de «ciudadano», que significaba todo lo contrario de lo que significó, por ejemplo, para Robespierre), un vecino de la playa que se había ausentado unos días (no especifiqué por qué y la policía todavía tenía la memoria corta: se me hizo evidente que no querían recordar a Virgilio) y al regresar se había encontrado su casa sellada por las autoridades, evidentemente un error sin mala intención, ya que la policía revolucionaria puede cometer una equivocación pero siempre la corrige, terminé. Hubo muchas idas y venidas, mucho papeleo, más espera pero al final Virgilio consiguió la autorización (que pedí por escrito) de que podía regresar a su casa, avalado por la Buchaca y el aparato estatal, ahora protector.

Cuando llegamos a su bungalow el tan temido sello sobre la puerta era un burdo papel mecanografiado que rompí con gusto. Una vez dentro de la casa otrora tan acogedora, tan playera y tropical y ahora oscura y vacía, Virgilio se dirigió con celeridad a la cocina y de una gaveta del aparador que debía contener cubiertos sacó una profusión de fotos. Ni siquiera me las dejó ver y me decepcionó. Siempre he sentido curiosidad por la imagen del sexo, cualquier sexo y aun una foto de un elefante tratando de montar obcecado a un rinoceronte me intrigó por su sexualidad bestial. Virgilio echó rápido las fotos a una bolsa de papel, que era anacrónico remanente de una tienda famosa antes de la Revolución y desaparecida en las llamas contrarrevolucionarias. Como no se llamaba El Fénix y para la Revolución era un recuerdo suntuoso, nunca fue reconstruida. Virgilio me sacó de mis reflexiones incendiarias. «Tenemos que deshacernos de esta piltrafa inmediatamente», me dijo poniendo un acento de repulsión y miedo en la palabra piltrafa, que se hizo entraña obscena. Estuve de acuerdo, salimos de la casa y montamos al auto, cogiendo carretera arriba, dejando atrás Guanabo rumbo a Matanzas, buscando un vertedero adecuado para que Virgilio se deshiciera de la bolsa llena de mera pornografía que era para él, por la manera en que sostenía su carga en la mano, un explosivo inestable. Divertido por esa excursión y acuciado por los constantes «Dime cuándo» de Virgilio, cada vez que se disponía a lanzar lejos del carro y fuera de la carretera su cargamento erótico, le mentía advirtiéndole que no podía hacerlo porque veía por el espejo retrovisor una máquina enemiga, tal vez delatora.

Finalmente comparecido de la angustia de Virgilio le dije que ahora podía arrojar por la borda su botín negativo (o positivo, ya que eran fotos) y Virgilio lanzó la bolsa lo más lejos que pudo. Un poco más adelante di la vuelta y comprobamos que el paquete había caído fuera de la carretera pero se había abierto al dar contra la cuneta y dispersado su contenido pornográfico por el campo vecino, una verdadera granada de fragmentación de fotos sucias. Virgilio estaba a la vez aliviado y angustiado. Su ansiedad aumentó cuando le dije: «¿No sería una ironía pederasta que esas fotos cayeran en las manos de un guajirito curioso, de un adolescente campesino y que al verlas despertaran en él una violenta pasión homosexual antes latente?» Me costó mucho trabajo labial convencer a Virgilio de que se trataba sólo de una broma, de que tal posibilidad era remota (más bien, improbable), de que nadie lo iba a acusar de pervertir al campesinado —una reforma agraria homosexual.

Virgilio se recobró de su ordalía y trató de adaptarse a la velocidad con que la Revolución se internaba en la selva salvaje del estalinismo —o de su versión antillana. Pero nunca fue realmente aceptado. En el primer Congreso de Escritores y Artistas, en que se oficializó (aún más) la Unión de Escritores y se decretó que *Lunes* dejara de publicarse «por falta de papel» y al mismo tiempo fuera sustituido por dos publicaciones, la *Gaceta de Cuba* (que bien podía llamarse la *Gaceta Oficial)* y la *Revista Unión,* donde aparecieron algunos de sus artículos, en esa elección arbitraria, al revés de Lezama o de mí mismo, no fue nombrado para ningún cargo en la UNEAC, que tenía más de media docena de vicepresidentes. Dejó su casa de Guanabo (en que no hubo más reuniones literarias ni visitas íntimas o literarias) y vino a vivir en el mismo edificio de apartamentos en que vivía Rodríguez Feo, casi puerta con puerta con su viejo amigo y protector. Pero mientras Rodríguez Feo, siempre viviendo peligrosamente, no permitía que nada estropeara su gusto por la aventura sexual y metía en su casa y en su cama versiones socialistas de sus viejos facsímiles de Charles Atlas, ahora con más ropa, Virgilio contaba horrorizado lo que consideraba una osadía pavorosa, incapaz de explicarse cómo Pepe corría tales riesgos políticos y policíacos por un pene.

Tanto Virgilio como Lezama llevaban vidas de completo ascetismo sexual, dedicado cada uno a su literatura. Pero la Revolución los hacía morir por la boca. Lezama fue siempre un glotón prodigioso capaz de comerse un lechoncito asado o un corderito lechal de una sentada, a pesar de su sempiterna escasez de dinero, invitado antes de la Revolución por sus amigos pintores de éxito, escultores con encargos en parques o iglesias y periodistas bien pagados. Virgilio era vegetariano y no era difícil encontrarlo en 1959 o 1960, sus años de bonanza, en uno de los restaurantes vegetarianos de La Habana —que dejaron de existir a finales de 1961 por la escasez de legumbres o vegetales, que siempre se cultivaron en el país y de aceite de oliva, que a veces se importaba. Esta desaparición causó gran mortificación a Virgilio, ahora más delgado que nunca, aunque mantenía su elegancia natural que un escritor argentino, cuando Virgilio lo visitó en Buenos Aires en 1956, confundió con dandysmo, al aparecerse con un espléndido atuendo invernal prestado por Rodríguez Feo. Pero Virgilio, con sus ropas escasas de La Habana, era realmente un dandy natural. Lo que no se podía decir de Lezama, quien aunque vestido de cuello y corbata, desplegaba un desaliño al que contribuían las cenizas expelidas por su perenne puro. Las fotografías contemporáneas muestran a Lezama con el torpor de los gordos, alto pero aplastado por su obesidad, justificando el apodo que le dieran los delincuentes en sus días de oficial de indultos, *Tanque de*

Plomo. Virgilio por su parte tenía una fealdad noble: era esbelto, de cuello largo y con una cara que podría haber pertenecido a algún florentino ilustrado del Renacimiento. Los dos, sin embargo, aunque mostraban ascendencia española cercana, eran muy cubanos, pero Lezama proclamaba sus antepasados vascos y ahora alguien ha propuesto que una calle de Bilbao lleve su nombre —que es mucho más de lo que nunca harán en La Habana. Nadie ha propuesto en ninguna ciudad de España que un callejón ciego se llame Virgilio Piñera.

Las respectivas familias de nuestros héroes tienen lazos diversos con sus hijos escritores. Lezama era prácticamente hijo único por su relación con su madre viuda cuando su hijo era un niño. Hay dos hermanas pero una de ellas, Eloísa, siente devoción por su hermano y una enorme admiración literaria que se ha vuelto idolatría. Cuando esta hermana se casó, Lezama se quedó solo con su madre en la vieja casa de la calle Trocadero y el día que Eloísa Lezama emprendió el camino del exilio, que le estaba vedado a su hermano, la soledad de Lezama se intensificó y creció la dependencia de su madre, que era ya una anciana con demasiados años, más necesitada de cuidados que capaz de ofrecerlos. Para Virgilio, uno entre varios hijos, la separación de un hermano que era figura eminente de intelectual serio (al revés de Lezama no había nada que Virgilio detestara más que ser considerado un intelectual), profesor universitario y luego exilado político, no tuvo consecuencias. No creo que Virgilio haya sentido remotamente el exilio de su hermano como Lezama sufrió el destierro de sus hermanas. Ahí están sus cartas desgarradoras para demostrarlo. Virgilio también estuvo cerca de su hermana, la que llegaba a afirmar que Virgilio le era acreedor artístico. «Hijo, yo fui quien le puso el primer tomo de Proust en las manos», solía decir. «Ni lo conocía de nombre», añadía sin reparar que su hermano era el último escritor en español en deberle nada a Proust. Si Luisa Piñera hubiera hablado así de Kafka tal vez habría llegado a convencer a alguno, aunque Virgilio escribió sus primeros cuentos kafkianos antes de que Kafka estuviera traducido al español. Luisa, al revés de Eloísa Lezama con su hermano, era afectuosamente irreverente con Virgilio, pero compartían más de un gusto —y no sólo literarios. Ella se había casado con un chófer de los ómnibus urbanos, al que alegremente llamaba «mi guagüero», un hombre que se sentía curiosamente cómodo en las discusiones literarias entre su mujer y su cuñado y aunque Virgilio desdeñaba las conversaciones cultas, eran de todas maneras de un nivel superior a la posible comprensión del guagüero. Pero Virgilio sentía un verdadero afecto por su cuñado, lo que no es extraño cuando se recuerda que Virgilio solía escoger sus amantes entre los más humildes. Ese rudo chófer marido de su hermana estaba tal vez muy por encima de los compañeros de cama de Virgilio. Una salida de Luisa ilustra tal vez mejor la relación familiar. Se acercaba Virgilio llevando de la mano a su padre ciego, de regreso a la casa de Panchito Gómez y al verlos dijo Luisa, refiriéndose tanto a la ceguera de su padre como al afeminamiento de su hermano: «Ahí viene Edipo de la mano de Antígona».

Cuando *Lunes* dejó de existir en harakiri ordenado por el Emperador, cedí a Virgilio el puesto de director de Ediciones R, editorial que creamos como rama editora del magazine. Virgilio estuvo al frente de las ediciones (disfrutó un cargo director por primera vez en su vida y aparentemente se sentía bien siendo algo más que un asesor literario) hasta que el mismo periódico *Revolución* desapareció ante los embates del estalinismo disfrazado de fidelismo. Estando en Bruselas en exilio oficial supe que Virgilio había sufrido un ataque más del machismo como manifestación política. De visita en la embajada cubana en Argelia el Che Guevara, buscando entre los libros de la exigua biblioteca argelina, el argentino encontró el *Teatro completo* de Virgilio, editado por Ediciones R. Lo sacó como para hojearlo pero lo que hizo fue dirigirse al embajador, un comandante menor, con una frase agria: «¡Cómo tienes el libro de este maricón en la embajada!» —y sin decir más lanzó el tomo al otro extremo del cuarto, estrellándolo contra la pared como un huevo huero que era purulento, virulento. El embajador se excusó de su lapso mientras echaba el libro al cesto de la basura.

Casi al mismo tiempo supe secretamente que coincidirían en París, Carlos Franqui, que sufría una suerte de exilio enmascarado, y Heberto Padilla y Pablo Armando Fernández, con cargos oficiales en Europa, inestables y precarios. Estaba también, con todos los honores, Nicolás Guillén, *Poet Laureate,* a quien se ofrecería un fastuoso cóctel en la embajada cubana en Francia y al que yo, como *chargé d'affaires* en Bélgica, estaba invitado. Por supuesto que no habría un homenaje semejante a Virgilio, autor anónimo.

Nos encontramos también con Virgilio en París y aunque era abril, el viejo residente de Buenos Aires que resistió al frío del sur temblaba esa primavera y no llevaba un gabán elegante. Además Miriam Gómez advirtió que Virgilio parecía tan indefenso como en los días de su prisión: había hasta que ayudarlo a cruzar las calles menos concurridas, temeroso no sólo de los autos sino de los peatones. En la habitación del hotel nos reunimos en sigilo con Franqui, quien en un momento de la conversación le recomendó a Virgilio que no regresara a Cuba, que inventara un pretexto cualquiera, válido o no, para quedarse en Europa, en París, en Madrid o en Roma. Donde mejor quisiera. Dinero no le faltaría: Padilla, Pablo Armando y yo podríamos costearle la vida durante un tiempo. En todo caso el invierno en Europa sería amable comparado con el infierno que se organizaba en Cuba. Franqui sabía que se preparaba en La Habana una persecución contra los homosexuales tan minuciosa que convertiría la Noche de las Tres Pes en un accidente chabacano. Ahora, cinco años después, era el poder total organizado para exterminar en nombre del futuro las perversiones del pasado. La decadencia burguesa y el amor que no se atrevía a decir su nombre confesaría ser el mal contra Marx. Luego contó el incidente del Che Guevara y su libro repudiado física y moralmente. De pronto Virgilio se echó a llorar, lo que no había hecho cuando fue detenido por pederasta de playa. Miriam Gómez y yo temíamos que se volviera a repetir su desplome del apartamento en La Rampa aumentado ahora por el miedo, el tiempo de París, el pobre cuarto del hotel parisiense —todo tan alejado del sol tropical, del comfort de la Cuba prerrevolucionaria que todavía duraba en mi apartamento antaño elegante. Aquí en París estaban algunos de sus amigos, es verdad, pero Virgilio debía ver un nuevo exilio, esta vez para siempre, como una perspectiva tenebrosa. Insistió en que quería regresar a Cuba, que no le importaba lo que pudiera pasar, que él podía soportar el encierro, la cárcel, el campo de concentración pero no la lejanía de La Habana. Comprendí su apego a esta ciudad que fue como un hechizo. Además estaba la citable respuesta de su cuento en que a un hombre condenado al infierno le ofrecen la oportunidad de la salvación, de abandonar la celda avernal por el cielo prometido pero responde negativamente y explica: «¿Quién renuncia a una querida costumbre?»

En 1965, a mi regreso a La Habana (cosa curiosa, nunca lo pensé como un regreso a Cuba y de hecho nunca salí de La Habana entonces) a los funerales de mi madre, me encontré a Virgilio en el velorio. Después nos vimos mucho, en reuniones en casa de mi padre similares a las tenidas hacía años en mi apartamento. Ahora charlábamos de todos los temas para evitar hablar de la que era inminente cacería de homosexuales (me la había confirmado una bella amiga, antes modelo exhibida, ahora agente oculta del Ministerio del Interior) y esta perspectiva se iba convirtiendo para muchos en una forma de destino. Sólo dos veces vi a Virgilio nervioso. Una cuando en una de mis primeras reuniones de puerta abierta, se apareció entre los visitantes un huésped no invitado que yo no conocía pero todos temían. Era, aparentemente, un policía secreto. Otra vez ocurrió que me visitó de pronto (era una reunión mínima por la tarde, con Virgilio, Antón Arrufat y Óscar Hurtado) una antigua activista política que había sido particularmente valiente, casi temeraria, en tiempo de la dictadura de Batista y ahora nos conminaba a todos a que ofreciéramos resistencia activa contra la Revolución, de la que había sido embajadora hasta hacía poco. Llegó a decirle al pobre aturdido Hurtado que dejara de comer helados todas las noches en El Carmelo y no hablara más de marcianos que nos invadirán en el futuro. «Los marcianos ya están entre nosotros y tienen grados de comandante. Combátalos aunque sea de palabra.» Cuando se fue la visita impromptu tan rápida como llegó, Arrufat preguntó: «Pero, ¿qué cosa es esta mujer?» Virgilio ofreció su versión: «Tiene que ser una agente *provocateuse*».

Luego, en las reuniones nocturnas de El Carmelo, en que Hurtado volvió a hablar de marcianos invasores, Virgilio no hablaba más que de literatura (pero recuerdo que nunca habló de su literatura, una pasión secreta). Por ese tiempo Lezama (que había rebasado el golpe atroz de la muerte de su madre y que se había casado, para sorpresa de los que no sabían que ese matrimonio era el último deseo de su madre) mostró su clase de valor intelectual no sólo en una defensa, ante un comité de expulsión de la Unión de Escritores, del intelectual negro Walterio Carbonell, antiguo colaborador de *Lunes* y con quien no le unía ningún nexo personal, literario o político (Carbonell era un viejo comunista, expulsado del Partido por marxista) sino escribiendo en silencio los capítulos francamente homosexuales de *Paradiso,* novela que publicaría al año siguiente, ya en plena persecución masiva de pederastas pasivos y activos. Todos conocen el éxito posterior de este libro en el exterior pero poco se ha hablado de cómo casi no se publicó, cómo después de publicado y ante los comentarios contra su homosexualidad, estuvo a punto de ser recogido y cómo la intervención de Fidel Castro *(Big Brother is reading you)* decidió permitir esa edición pero prohibió cualquier otra impresión del libro. Virgilio se refugió en su casa y en otra querida costumbre: jugar canasta con varias viejas damas retiradas. Fue en una de estas partidas del juego que apasionaba también a Batista que autorizó por teléfono firmar el infamante documento colectivo de la Unión de Escritores contra Neruda —sin siquiera preguntar de qué trataba el manifiesto que le proponían firmar. Tan domesticado estaba el antaño rebelde.

En 1968 vino a visitarme en Londres, para una entrevista, un periodista argentino que había estado en La Habana a entrevistar a Lezama, entonces en la cumbre de su fama sudamericana. Pero este periodista me contó cómo de visita en el apartamento de Rodríguez Feo y conversando con el antiguo playboy ahora empobrecido se abrió la puerta y entró una especie de fantasma desencajado más que desmaterializado, que pidió perdón por la irrupción y declaró que solamente venía por un poco de azúcar, Pepe. Esta aparición se retiró silenciosa con su azúcar y Rodríguez Feo explicó: «Ése fue Virgilio Piñera», que para no ser escritor era una elección de verbo digna de Flaubert. El entrevistador dijo que quería entrevistar a Virgilio Piñera, a quien se conocía en Argentina. (Los argentinos, elefantes literarios, nunca olvidan a un autor, del entrevistador al Che Guevara.) Pero Pepe Feo dijo que era inútil intentarlo siquiera.

En 1971 cuando la «confesión espontánea» de Padilla, hecha en la cárcel, que involucraba a Lezama entre otros escritores, pecadores todos, hubo una ausencia notable en el salón de actos de la Unión de Escritores. Con su extraña valentía tozuda, Lezama no asistió a esta mascarada que era una pobre copia de un proceso en Moscú. No en balde Lezama ha celebrado el seguro paso del mulo en el abismo en uno de sus poemas como enigmas que ahora sabemos que eran una divisa. La fama internacional de *Paradiso* finalmente hizo que Lezama fuera utilizado por la maquinaria de propaganda de la fe fidelista y así se publicaron sus poemas completos (tan oscuros como claves cifradas para los burócratas) y fue entrevistado en las principales publicaciones cubanas, las pocas que quedan. Pero a partir de 1971 y la delación de Padilla, cayó sobre el poeta y *Paradiso* un doble domo de silencio y cuando ganó un premio en Italia y fue invitado a Roma le fue negado el permiso de salida. Igualmente le impidieron viajar a México, aunque ya no habría llegado a la Montego Bay con su alborozo auroral. Su vida se hizo más difícil de lo que había sido nunca y después de escribir cartas cada vez más patéticas en las que pedía a su hermana medicamentos y comunicación con el mismo ritmo, no hesicástico pero sí asmático, murió de una crisis pulmonar en un hospital, en una sala anónima, sin ser reconocido el más grande poeta que ha dado Cuba, lejos como la muerte de su querida casa de Trocadero, este testigo obseso de las ruinas de La Habana Vieja. Es evidente que *Paradiso* no remite a Dante como se ha creído sino a Milton y al Paraíso perdido. Ese paraíso es la Cuba que se fue —o mejor, de la que lo expulsó un nuevo dios, cruel, usurpador, hereje máximo.

Virgilio estaba refugiado en su tarea de traductor para la Imprenta Nacional, pero después de las resoluciones del Primer Congreso de Educación, que prohibía expresamente el contacto de intelectuales y artistas homosexuales (extraña historia, casi clínica, de una obsesión de un gobierno) con los medios de difusión y propagación de la cultura, sus actividades fueron restringidas y Virgilio volvió a ser lo que había sido en otros tiempos difíciles: un hombre invisible. (A propósito de la palabra contacto usada más arriba hay que decir que su uso no es metafórico: Antón Arrufat, el último discípulo de Virgilio, que había terminado de bibliotecario en una biblioteca de barrio, a partir de la promulgación de las resoluciones del Congreso fue desterrado al interior de la biblioteca, entre los libros, impedido de tener «contacto» con los lectores: la pederastia se pega, es una sífilis sexual, mal de amor.) No creo que Virgilio escribiera una sola carta en las muchas estaciones de mi exilio. Así una carta de Virgilio es no sólo un raro mensaje sino una comunicación del más allá, que me llegó de Cuba vía USA. Fue escrita a su amigo Carlos X, que vivía en una ciudad que les era común, Cárdenas. He aquí la corta carta de Virgilio, una de las últimas que debió escribir:

> *Charlot.*
>
> *Te dicto estas letras debido a que no puedo hacerlo por mí mismo por el estado de desmayo en que me encuentro —y aún más que eso—: desidia, ¿por los años o por...? Acá me tienes con 66 cumplidos, lo cual significa que en cualquier instante te puedo hacer mutis por el foro... Me levanto, como de costumbre, a las 5 de la mañana, escribo hasta las 7, después voy al Super Cake (!), donde hay cakes y otras inmundicias. Paso por la oficina (?) un momento, cojo la ruta 2 y regreso a casa, pero antes paso por el «punto de leche», en donde adquiero yogurt. De ahí a ver si hay vianda o llegó la leche. Almuerzo a las 11 de la mañana, duermo siesta hasta las 3, me levanto y ramoneo por la casa —que una ropita que lavar, que el*

> *teléfono que atender, que una visita intempestiva, que una lectura cualquiera. —Si no tengo canasta, entonces meriendo— comida a las 7, después una visita o sencillamente andar por esas calles de Dios. Ése es mi día. Nada más y nada menos. Me imagino que estás bien de salud, disfrutando la compañía de tus queridos sobrinos y nietos. Tal vez te visite en el invierno. Un gran abrazo.*

La carta no puede ser más mensaje absurdo y en ella Virgilio llega hasta hablar de invierno —¡en Cuba!—. ¿Quería decir infierno?

No creo que Virgilio estuviera en el velorio o en el entierro de Lezama. Al velatorio acudieron muy pocos de los que estaban y se decían amigos, cuando llegó el cura (el padre Gaztelu, viejo poeta de *Orígenes,* confesor de Lezama) para la misa de difuntos, dejaron la capilla como si hubiera entrado el diablo y no un vicario de Dios. Ahora la muerte de Virgilio (la definitiva: Virgilio se había convertido en un zombi o muerto vivo), la que dado el gusto de Virgilio Piñera por la parodia clásica habría que llamarla *Der Tod des Vergil,* su muerte para siempre lo reúne con Lezama. Ambos, Virgilio y Lezama, habían vuelto a ser amigos en vida, tanto qué uno de los últimos poemas de Lezama es una celebración de Virgilio y se titula «Virgilio Piñera cumple 60 años». La única fiesta posible al poeta para el escritor paralelo sería un poema que podía decir, en mal Mallarmé, en ellos mismos la eternidad los une pero la vida literaria los reúne.

Abril de 1980

¿Quién mató a Calvert Casey?

Conocí a Calvert Casey casi demasiado tarde. Esto es, demasiado tarde para mí. Todos los que conocieron a Calvert creían que lo habían conocido tarde. Como ese privilegio que uno siempre cree que no ha tenido a tiempo, que lo ha disfrutado mal o lo ha recibido tarde, Calvert pareció no durarnos nada. No sé de nadie que conociera a Calvert que no lo considerara como un don, uno de esos raros regalos que dioses dadivosos conceden a los humanos porque saben que lo tendrán (o gozarán: los términos son intercambiables) mucho, mucho menos que una eternidad. Fue la cortedad de la vida de Calvert en mi vida lo que hizo ese don para mí inapreciable y al mismo tiempo dejó ver lo breve que duraría el regalo. De veras que Calvert Casey nos duró a todos poco tiempo. Pero no hay que lamentar la brevedad de su vida sino celebrar que existió alguien que se llamó Calvert Casey y fue único y extraordinario y poder decir con Hamlet: «Lo conocí bien». Sin tener que lamentar ante Horacio: «Alas, poor Yorick». No pobre Calvert. Pobres los que no lo conocieron.

Pero lo conocí tarde, es verdad, en 1960, cuando Virgilio Piñera insistía en que tenía que conocer a Calvert Casey de todas maneras y temía que viniera en su lugar uno de esos híbridos estériles, un cubano-americano. Ya había padecido personalmente uno de esos mulos en el abismo que había tratado de insertarse en la literatura americana, «a la que pertenezco», y no pasó de escribir cuentos malos en Nueva York, donde nunca se publicaron y terminó escribiendo para una de esas «revistas latinoamericanas», que se editan en los Estados Unidos para venderse en Sudamérica, que parecen no estar escritas ni en español ni en inglés y siempre están acusadas de estar financiadas por la CIA y nunca siquiera llegan a ese status oficial. Justa justicia que ese mediocre tuviera tal destino. Pero al triunfo de la Revolución, unos seguros meses después (*Batista strikes back*, pensaba: uno de los riesgos del tirano en fuga es que siempre puede regresar, como Napoleón o Mussolini: *Italian bully-boys*) se apareció en La Habana dispuesto a «integrarse a la lucha» esgrimiendo, escribiendo novelas sociales en un indescriptible volupuk que el pobre Virgilio, siempre guía del infierno letrado habanero, debía poner en español para poder publicarlas en Ediciones R, la editora del periódico *Revolución* fundada por *Lunes*.

A Calvert Casey lo trajo a las oficinas de *Lunes*, Antón Arrufat, tan agudo como delgado y tan inteligente como irrespetuoso, un huso tejiendo irreverencias:

—Aquí está la Calvita —me dijo, sonriéndose de lado.

Debo muchas cosas al talento de Arrufat, a su capacidad para juzgar un libro, a su cultura literaria que tendía a una cierta busca metafísica, pero nada le debo tanto como a esa presentación poco respetuosa porque Calvert Casey, cogido entre el dilema de la proclamación de su homosexualismo (que yo conocía por Virgilio, por Natalio

Galán y por Humberto Arenal, su viejo amigo heterosexual de Nueva York) por su mismo introductor en tono de relajo y la seriedad que Calvert creía que debía sostener durante esta cita, cogió los cuernos de su otro mal social (que consideraba una verdadera condena del verbo y no una salvación por la carne como su pederastia) y trató de domar ese toro:

—Mu, mu, mu —fue todo lo que dijo Calvert Casey. Pero Antón intervino, introductor hasta el fondo:

—Bien dotada, la Calvita es gaga pero locuaz.

Ahora que se hizo evidente que Calvert Casey estaba tartamudeando, tratando de decir lo que dijo después y de pronto, como todo tartamudo en público, devino súbitamente coherente: un famoso locutor cubano, gran gárrulo de la televisión y la radio, era gago en su vida privada.

—Mucho gusto —terminó de decir Calvert. Y agregó—: Hace tiempo que quería conocerlo.

Arrufat, divertido y directo, mostrando ahora la bola roja en la punta de su lengua (donde todo el mundo decía que acumulaba su veneno: cobra que se las cobra), dijo sonriente:

—Calvert, no estás en las Naciones Unidas, querido. Aquí todos nos tuteamos. Hasta Franqui que es comandante y todo.

—Sí —le aseguré a Calvert. Además de ponernos apodos todos. Aquí Antón se llama en realidad Antón Arrufátich Chéjov.

No era verdad pero Calvert, divertido, dijo:

—Le viene muy bien el nombre. Podría hasta escribir *La huerta de aguacates*, ahora que tanta gente bien emigra.

No había gagueado nada. Miré a Arrufat que creyó que debía intervenir de apoyo.

—Me viene de perillas, como diría Virgilio —dijo Arrufat, burlándose del uso de frases hechas, constante en su maestro, Piñera teatral.

Lunes de Revolución era, curiosamente, un sitio en que se trabajaba en medio de la mayor indolencia, a la rusa. Para colmo, yo, su director, era todavía crítico de cine de *Carteles*, semanalmente, y casi a diario en el periódico *Revolución*. Nuestro suplemento se hacía con muy poco personal y además la abulia diaria producía un fantástico frenesí de fin de semana cuando llegaba la hora del cierre y nadie había escrito nada, no se había traducido cosa alguna, ni recibido ninguna colaboración de afuera. Sólo salvaba al magazine del fiasco, siempre amenazante como un huracán de fin de semana, la providencia de la improvisación, el trabajo desenfrenado de última hora y el talento organizador de sus diversos directores de arte —que fueron mucho más que tipógrafos glorificados por su título. Calvert, encantado con esta atmósfera de un maelstrom cada semana y el barco que nunca se va a pique, tan diferente de las Naciones Unidas, donde el deber de cada funcionario era hacer ver que movía la mayor cantidad de papeles por minuto sin que nunca fuesen a ninguna parte: el paraíso del burócrata. Calvert se fue, entusiasmado por nuestra ineficiencia creadora. Quedamos antes que escribiría algo para el magazine. «Algo» era lo que él quisiera y «Algo», en la líquida pronunciación de Franqui, era nuestra barca de papel en busca del bello sino. Así comenzó nuestra colaboración y, más decisiva, nuestra amistad.

Después Calvert declararía que de no haber sido por *Lunes* nunca habría publicado nada, queriendo olvidar lo que había escrito en inglés en Nueva York y en español en Cuba antes de la Revolución. Pero ciertamente Calvert salvó con uno de sus raros artículos o sus penetrantes ensayos más de un número del magazine, rescatable del olvido porque Calvert Casey aparece ahí. Esta publicación semanal masiva (el magazine literario de mayor circulación jamás editado en Cuba y muy posiblemente en toda América que habla español), más la autoridad casi oficial que tuvo durante un tiempo el periódico *Revolución*, hicieron que muchos cubanos estuvieran en contacto por primera vez con diversos autores extranjeros de renombre y valor, algunos ya clásicos inclusive. Entre los escritores cubanos que fue posible difundir y lograr que lo gozaran más allá de la media docena que no le habría leído antes, estaba Calvert Casey. Detrás de su nombre doblemente exótico se escondía un escritor profundamente cubano —todavía más, esa rareza: un escritor habanero— que escribía una prosa exquisita y al mismo tiempo legible, que hablaba de temas tabúes como el suicidio de José Martí o simplemente exóticos inter pares, como su descubrimiento de Isla de Pinos, para Calvert una verdadera Isla del Tesoro que exploró con el documentalismo creativo de otro Stevenson: isla mágica aquélla, isla inventada ésta. Calvert era el escritor ideal para una época ideal —mientras duraron ambos. Fue uno de los pocos que supo temprano que corríamos peligro inminente de ser expulsados del Paraíso —o mejor—, que arriesgábamos que el Jardín del Edén, como una alfombra mágica invertida, nos la halaran de debajo de los pies, cayendo unos en el purgatorio, otros en el limbo, otros en el infierno pocas veces merecido.

Todavía eran tiempos de tolerancia, sin embargo. A veces los redactores del magazine y yo comíamos en casa de Virgilio Piñera, entonces una especie de estrella literaria, cuyo apogeo y decadencia serían como avisos de nuestra fortuna política. Virgilio, en el cielo sin duda ahora, se incomodaría al verse convertido en una versión tropical de la estrella polar. Pero es mejor que Virgilio en el infierno. Su casa era un oasis, una suerte de estación olvidada del paraíso. Tengo que decir que su casa en la playa de Guanabo era su única casa, poco más que un bungalow, casi una cabaña y comíamos siempre *spaghetti alla Pignera,* como él los llamaba, en una mesa larga debajo de un aguacatero (providencial luego, al frutecer en medio de la hambruna habanera) en su patio frontal porque no había sitio dentro ni patio trasero.

Miriam Gómez fue allá conmigo un día. Ella no conocía a Calvert todavía y la presentación fue el murmullo social al uso. Virgilio los sentó juntos: «Las señoras casadas a un lado», dijo y después se sonrió. No bien empezamos a comer aquel plato exótico (spaguetti en el trópico) Calvert inició una conversación con Virgilio, *magister litterae*, al otro extremo de la mesa y el argumento literario pronto se convirtió en discusión y luego en debate acalorado, casi disputa.

De repente, frente a los ojos pasmados de Miriam Gómez, a Calvert se le hizo un nudo de spaghetti en la garganta. Pero no era en la faringe física que se produjo el atoro sino en esa glotis de la mente que son las cuerdas vocales del tartamudo. Todas se hacen un nudo y al tratar de desatarlo con esfuerzo físico visible en la cara y en el cuello, crean un nudo mayor y el tercer nudo se convierte en un nudo gordiano cuya única espada posible es la voluntad, arma perfectamente mellada por el uso.

Calvert abría la boca cada vez más grande y hacía ruidos guturales y groseros, agoreros ahora. Miriam, de asustada, pasó a aterrada y comenzó a pedir ayuda por entre el barullo de la conversación y la comida. (Virgilio, tan tranquilo, se había levantado y había ido a la cocina por más pasta). Luego Miriam reclamó auxilio, clamando: «¡Se ahoga Calvert! ¡Se ahoga!», exclamaciones que hacían abrir aún más la boca de Calvert y ahora su nariz y sus ojos eran las facciones del paroxismo. Pero nadie hacía caso de las peticiones de socorro (ni siquiera yo) y todos seguían comiendo y conversando animados mientras, para Miriam, Calvert moría la muerte atroz del atosigado, ahogado en seco. Miriam Gómez se levantó decidida, se dirigió a Calvert y empezó a tratar de hacerle soltar el bocado que lo asfixiaba, dándole repetidas palmadas en la espalda.

Fue entonces que Arrufat reparó indolente en la escena (que luego describió como de absoluto *grand-guignol*) y, sin moverse de su sitio ni de delante de su plato (eso nunca) le preguntó *nonchalant* a Miriam Gómez: «¿Qué es lo que pasa entre ustedes dos?» Miriam, casi escandalizada no por la letra sino por el tono del sonsonete de Arrufat, espetó: «Este hombre se está ahogando con spaghetti». Arrufat miró desdeñoso a Calvert Casey, su cabeza echada hacia atrás, su boca toda abierta, sus ojos desorbitados y dijo: «¿La Calvita? Qué va, la Calvita no se ahogará jamás con spaghetti. Con otro *boccato* tal vez, pero nunca con spaghetti», y en el mismo tono añadió: «¿Tú no sabías que la Calvita es gaga?» «¿Gagaqué?», acertó a preguntar

Miriam Gómez. «Gaga», dijo Arrufat con la misma parsimonia que si diera una lección sabida. «Como Gagarin. Tartamuda. Tartajea todo y a veces, como ahora, se ahoga con las palabras que no puede tragar.»

Miriam Gómez no quería creer lo que oía, pero ante esta frase pérfida de Arrufat, Calvert Casey se soltó de su llave de cuello, sus ojos volvieron a sus órbitas, cerró la boca y casi dijo silbando, sin rastro de spaghetti ni de atoro, para doble asombro de Miriam Gómez:

—Gracias mi amor —a Miriam, y a Arrufat—: Antón eres una vi-vi-vvv...

—¿Viviseccionista? —dijo Arrufat simulando ayudar a Calvert en la elección de su vocabulario.

—¡Víbora! —aulló Calvert finalmente. Todos nos volvimos para reírnos del grito de Calvert.

Víbora era una palabra ambivalente en el vocabulario homosexual habanero, dicha tanto en desmérito como en aprobación, en reproche, en admiración y, finalmente, en tono absolutamente adulatorio, tal vez por temor, tal vez por amor. Es probable que la víbora ambigua viniera no de un país donde no hay siquiera serpientes sino de una ciudad en que uno de cuyos barrios socialmente altivos y ruinosos a la vez se llamaba La Víbora.

Así conoció Miriam Gómez a Calvert Casey, casi ahogado no en el cercano mar de la playa de Guanabo, después de todo el océano, sino en las aguas bajas de la conversación, en el charco poco profundo de la tartamudez en que caía inesperadamente al tropezar con la palabra menos prominente, como una piedra en su camino oral aunque fuera sólo un guijarro y gaguear. Pero Calvert, al revés de todos nosotros, tenía una rara fluidez al escribir en español, idioma que debía de ser, por más de una razón, su segunda lengua. Luego supe que era en realidad su lengua madre.

Calvert Casey nació en Baltimore y se crió en La Habana. Calvert Casey nació en La Habana y se crió en Baltimore. Americano, cubano: es lo mismo. No se puede decir con exactitud qué era Calvert, ya que siempre se escapaba a las clasificaciones y a las fechas. ¿Nació realmente en USA en 1924? No se sabe. Lo que es irrebatible es que era un escritor. Por encima de todo y de todos, casi a pesar de sí mismo, Calvert escribía o pensaba escribir o soñaba que escribía. La incerteza biográfica (¿cuándo regresó realmente a Cuba?) permite sin embargo algunas certezas.

A mediados de los años cincuenta, Calvert Casey trabajaba en las oficinas de las Naciones Unidas en Nueva York (de allí lo conoce Natalio Galán, músico y mecanógrafo), traduciendo documentos de un lado al otro que serían impresos con tinta invisible o en su más incierta aproximación, la tinta simpática. Antes del triunfo de la Revolución ya estaba «de regreso», frase que lo fascinaba, en La Habana, trabajando en ese el más habanero de los comercios, una quincalla. Resulta incongruente y divertido tratar de recordar a un Calvert que nunca conocí vendiendo peines de pasta, ganchos y pomada para el pelo (y hasta tal vez la KY, emoliente sexual que le atraía como un pecado nuevo), palillos de dientes y de tendedera, cigarrillos: rubios *Royales* cubanos, ovalados *Regalías el Cuño*, redondos *Partagás*, negros *Trinidad y Hermanos* (¿llegaría a vender añejos *Susinis y Aguilitas*, como sostenía maldiciente Arrufat, en los que el nombre se hacía humo de recuerdos, nostalgia ardiente de un mundo extinguido?), bombillos Mazda de varias bujías, enchufes, rulos de croquinol y esa panoplia del habanero que fuma habanos: puros, panetelas, y cherutas, pardos y obscenos como olisbos para la boca, públicos y evidentes, exhibicionistas casi, habanos. Antes de hacerse quincallero, oficio popular, Calvert que hablaba habanero sin el menor acento, con su pelo castaño y sus largos, lánguidos ojos penetrantes y oscuros, tuvo un amante cubano que era un mulato santiaguero. Era Emilio para todos uno de los hombres más consecuentemente buenos que he conocido: callado, casi invisible y en paz con todo el mundo.

La biografía literaria de Calvert Casey comienza en inglés y la corona un cuento publicado en la revista *The New Mexico Quarterly*, que le gana un premio de la editora Doubleday de New York: de Nuevo México a Nueva York. El regreso literario a Cuba no es ni siquiera un viaje en el tiempo verbal del lenguaje: su español es el inglés por otros medios y ambos no son más que un fin de Calvert Casey. Más significativo que la literatura es un viaje en el espacio que se convierte en vértigo temporal. Un día de los años cincuenta (década decisiva), en Roma, todavía traductor de las Naciones Unidas, Calvert reconoce el paisaje romano como una reproducción en el espejo de la imagen virtual de La Habana Vieja, su ciudad eterna. Decide enseguida volver a La Habana porque se parece demasiado a Roma, en un juego de equívocos y de identidades y permutas. Años más tarde volverá a Roma tratando de encontrar una Habana perdida: es el truco del *dejà vu* que se convertirá en un nunca—nunca recobrado. Pero todo no es más que uno de los pases de magia de la Muerte: la cita en Samarra del cuento persa que se han apropiado Somerset Maugham y Cocteau y John O'Hara, escritores encontrados con la muerte senil: *all writers die but some writers would rather die sooner than later.* (Otra versión es el cuento cubano del peludo que se encuentra a la muerte en el parque y le oye decir que anda buscando a un peludo para llevárselo y éste se rasura enseguida la cabeza para eludir a la Pelona, que al no encontrar el hirsuto furtivo, impaciente, decide llevarse en su lugar al rapado.) Calvert, La Calvita, Calvito, no huye a la muerte al salir de Cuba: va a su encuentro voluntario, sonriente, casi alegre porque es una promesa de viejo repetida. Calvert Casey va a pie. Tal vez vio en Roma al Neptuno de mármol, de autor italiano, que apareció por primera vez en una novela cubana que había gozado en La Habana —¿o fue en Roma?—, *Mi tío el empleado*, de Ramón Meza. (Tal vez su nombre fuera Raimondo Mezza.) Quizá no contempló con pavor esos semblantes esquivos romanos que le eran tan habaneros. Pero ciertamente no sintió el pánico de los elefantes, que él declaraba propio, cuando próximos a la muerte se sienten lejos del sitio en que han nacido. No tenía miedo a la muerte Calvert Casey, ese día que decidió escogerla como la libertad última porque sabía —lo había escrito— que era una vieja compañera de viaje. Simplemente se dejó llevar por ella como por el guía de un sueño conocido: «Entre mudas columnas que quedaron/un sendero muy blanco y espacioso».

El cuerpo mortal de Calvert Casey terminó en Roma pero en La Habana comenzó su vida vital. Calvert publicó en la revista *Ciclón* (financiada por José Rodríguez Feo, mecenas de *Orígenes*, pero en realidad controlada por Virgilio Piñera como antes Lezama Lima reinó en *Orígenes*) lo que alguien, tal vez él mismo, llamó «experiencias existenciales» —eran todavía tiempos nuevos sartreanos— pero que son muestra de una maestría que se hacía más evidente mientras menos visibles eran los hilos de la trama literaria.

Fue poco después de conocer a Calvert Casey que comenzó a publicar sus artículos que eran ensayos, mientras escribía en secreto sus cuentos una y otra vez hasta hacerlos exactos, que luego recogió en *El regreso*. Uno de esos cuentos, «El amorcito», hizo célebre una frase favorita de Calvert y usada cariñosamente en La Habana para llamar a un amor que no quiere decir todo su nombre, homosexual o heterosexual.

De estas fechas son muchas de las aventuras secretas y regocijantes que Calvert reservaba para revelar a unos pocos íntimos.

A veces, sabedor de que la anécdota era en realidad un cuento que no podría escribir en Cuba, Calvert les daba título. Había uno titulado «Toque final» que Calvert debió contar más de una vez, de tan perfecto que era su relato. Su protagonista, quizás el propio Calvert Casey, conocía a un posible amorcito en el muro del Malecón, al que iba a sentarse a menudo, a coger fresco y a veces frescos. Conciertan una cita, tal vez para una casa de citas. El héroe, cada vez más Calvert, se afeita, se baña, se da desodorante, llamado Toque final, marca registrada. Como toque final a su tocado, Calvert se unta el desodorante por todas las partes pudendas, se viste y se va al Malecón a sentarse en el mismo muro a esperar a su seguro amorcito. Pasan los minutos: veinte, treinta, cuarenta y el amorcito no viene. Llega en su lugar un visitante inesperado: nuestro héroe —o heroína— ha comenzado a sentir hace rato un extraño prurito que se precisa ahora como una picazón en el trasero. Gradualmente el picor se va convirtiendo en ardor, luego en una especie de tormento medieval: una brasa que se introduce en el recto y quema como un tizón. Calvert definitivamente se siente empalado por aquella inusitada tizona ardiente que lo penetra como un Eduardo II habanero, rey y reina por un día o por media noche. No puede soportar más estar sentado porque todo el muro le empala, lo impele. Se levanta de su asiento pero la ardentía aumenta ahora. En ese momento recuerda una marca de fuego y da con la causa del mal: el toque final de Toque Final, desodorante, depilatorio, ha sido un golpe mortal para el romance. El ardor amoroso, metafórico, ha sido sustituido por la ardiente realidad. Abrasado, casi corriendo, Calvert Casey regresa a su casa, se desviste desesperado y se sienta en una palangana de agua fría, a calmar la quemazón del año que dura más allá de la cita de amor que no tuvo lugar.

En otra ocasión paseábamos Calvert Casey, Miriam Gómez y yo por la corta calle que une el Parque Central con la plaza de Alvear, caminando por la acera del Centro Asturiano, arbolada de laureles, los viejos adoquines bruñidos reflejando la luz de las bombas del alumbrado público confuso. Ahora aparece la gran puerta de hierro por entre cuyas filigranas se ve el interior del palacio barroco. Calvert se detiene un momento y nos conmina a imitarlo. El Centro Asturiano aparece vacío pero su interior está alumbrado como en día de fiesta. «¿Ustedes ven esa escalera magnífica?», pregunta Calvert obligándonos a mirar y ver una vez más la sabida escalinata del palacio, toda de mármol, amplia arriba y abriéndose ancha abajo, con pasamanos que se hacen volutas pétreas a su término, como conchas coruscantes. Le decimos que sí, claro: no solamente yo me crié a sólo cien metros de aquí y Miriam ha venido conmigo a esta parte de La Habana muchas veces, sino que Calvert prácticamente nos ha obligado no a recordar o a mirar esta escalera ahora sino a memorizarla para siempre. ¿Será un especialista en escaleras, manía escalatoria? «Bueno, tengo que hacerles una confesión. Es más bien una confidencia». «Una confidencia a una cura es una confesión», le digo. «Bueno», nos dice, «considérense curas. No van a creer lo que les voy a decir, desde luego. Pero es la pura verdad. Por favor, les ruego que no digan nada a nadie, pero a nadie». Juramos silencio eterno mientras imagino la sabrosa anécdota amorosa que ocurrió a Calvert en esa escalera. Tal vez escondido debajo de ella masturbaba a un amorcito de antifaz mientras a su alrededor, más ruidoso que el amor, bullía el carnaval en su baile de máscaras conocidas, *habitués,* carnestolendos. Pero reparo que la escalinata es maciza, imposible a las penetraciones enmascaradas o no. ¿Qué habría ocurrido a Calvert allí? Pero ya él está contando. Silencio presente pero no futuro al olvidar el juramento eterno: un secreto es casi como un amor: sólo cobra sentido al revelarlo. Pero no es un cuento lo que cuenta Calvert: «El anhelo, el ansia, el sueño de mi vida es bajar esa escalera». Nada más fácil, cualquier día o noche que abran el portón, en fiesta nacional o asturiana. «Pero yo quiero bajarla vistiendo una gran bata de crinolina, con encajes sobre mi escote, los hombros al aire, los senos salientes. Las mangas deberán ser cortas para mostrar bien mis brazos torneados. Llevo un collar de perlas al cuello largo, hermoso ahora al realzarlo el collar, y aretes de rubíes como un punto de sangre en el lóbulo. También tal vez una diadema, si no es muy cargante, de piedras preciosas, y el pelo rubio bien peinado en rulos románticos que me caigan sobre los hombros desnudos. ¿Ya dije que llevaba los hombros desnudos? Se verán los hombros y la espalda generosa. Iría maquillado a la perfección: cejas arqueadas, ojos violeta, labios rojo granate y toques de colorete, muy leves, un realce nada más ya que mi cutis se verá transparente. Entonces así ataviada bajaré la escalera, escalón a escalón, lentamente, regia como una reina, todas las luces sobre mi descenso. ¿Qué les parece?», insistió Calvert en una opinión. «Bueno, Calvert, perdona», le dije, «pero, considerando» (no quería pronunciar palabras fatales como Revolución, Ministerio del Interior, policía) «me parece poco posible». No quise decirle imposible. Miriam Gómez, más comprensiva o tal vez más humanitaria le dijo: «Calvert, ¿quién sabe? Tal vez un día». Calvert nos miró a los dos pero no parecía ni decepcionado ni desalentado. «Es un sueño, claro», concluyó, «pero los sueños tienen una curiosa manera de hacerse reales».

Era un sueño, sí, y a veces cuando recuerdo a Calvert vivo y pienso que ahora no es más que unos pocos huesos, una calavera y polvo en el polvo, lo recuerdo como un sueño que tuve una vez y la gran puerta del Centro Asturiano, ese portentoso portón del recuerdo ante el sésamo ábrete de la memoria mágica, la escalinata grandiosa se ve en un iluminado esplendor: todo es luces y mármol que reluce y en medio, compartiendo la luminosidad del momento, aparece, ¡sí!, Calvert vestido de tules y tela bordada, con zapatos altos de raso, enjoyado en genuina pedrería, el pelo realmente rubio largo sobre los hombros desnudos, y comienza a bajar lentamente la escalinata como una verdadera reina viva. Su sueño se ha hecho realidad en otro sueño: esta página y estas palabras pertenecen al sueño.

El sueño es de crinolina y gasa y piedras preciosas pero la realidad era de plomo y pólvora. Calvert vino a decirme un día que estaban fusilando de nuevo, no batistianos sino gente inocente, esta vez de un mismo espectro letal, sus extremos: trotskystas y católicos. Sabía la suerte de los católicos militantes que morían gritando: «¡Viva Cristo rey!», pero no la de los trotskystas, esos anacrónicos seguidores sin líder. Calvert lo sabía de buena tinta: tenía conexiones clandestinas otras que las sexuales. Era amigo de muchos anarquistas cubanos, algunos españoles, remanentes del exilio republicano, algunos escapados del viejo terror estalinista en Barcelona para verse atrapados en Cuba socialista. También conocía trotskystas cubanos, esos utopistas que se negaban a reconocer el carácter cada vez más estalinista del gobierno fidelista y ahora repetían el destino ideológico de Trotsky, la revolución (en una isla) tan renegada como la revolución (en un solo país) de Stalin.

Fue por ese tiempo que tuvieron lugar las notorias reuniones en la Biblioteca Nacional y el reaccionario resumen de Fidel Castro: «Con la Revolución, todo; contra la Revolución, nada». El corolario de este axioma estético fue la prohibición de *Lunes* y mi cesantía. Pablo Armando Fernández, Antón Arrufat y Calvert Casey pasaron a trabajar en la Casa de las Américas, cuya directora, Haydée Santamaría, sostenía la curiosa tesis de que la gente de *Lunes* (es decir todos nosotros) era valiosa individualmente, pero no había que dejarlos reunirse. Entonces podían ser peligrosos. Resultábamos, pues, una suerte de microbios políticos capaces de ser letales en grupo, o, lo que es peor, contagiosos. Calvert tenía en la Casa de las Américas un puesto subalterno, pero Arrufat llegó a dirigir la revista *Casa*, a la que convirtió de un panfleto indiferente en una publicación de extraordinario dinamismo y de considerable importancia literaria en Cuba y en América Latina, labor de un solo microbio.

Después de un tiempo sin trabajo, que pasé escribiendo subsidiado por Miriam Gómez, actriz activa, salí de agregado cultural para Bélgica, en una suerte de exilio oficial. Pablo Armando Fernández me seguiría en un puesto similar a Londres. A microbio que molesta destino remoto. Antes de irme, Calvert había publicado en Ediciones R —todavía funcionaba ese vástago de *Lunes*, atenuada su virulencia— su volumen de cuentos *El regreso*, que a todos los de *Lunes* nos pareció excelente aunque apenas si tuvo repercusión crítica en Cuba. Pero Antón Arrufat tuvo un elogio que fue la gloria instantánea para Calvert y justa justicia literaria: «¡Qué Salinger ni Salinger! Tus cuentos son mucho mejores que los de Salinger». Hay que recordar que cuando Calvert Casey vivía en Nueva York oscuramente, J. D. Salinger era célebre y el más permeable y sensible escritor americano vivo. Yo dije algo que se probó *gaffe* o gafe: «Es de veras Pavese».

En 1964 Antón Arrufat (a quien está dedicado *El regreso*) vino a visitarnos a Bruselas, huésped nuestro en la casona elefantisiaca de la embajada, donde por absurdo azar diplomático vivíamos solos Miriam Gómez y yo. Si Calvert era andariego, aventurero, hombre de muchas ciudades, Antón, tan audaz de lengua, era un tímido urbano que tenía miedo a toda ciudad que no fuera La Habana. Debí ir a buscarlo a la estación de Midi (odiaba viajar en avión) y tuvimos Miriam y yo que hacerle constante compañía en la embajada, de la que sólo salió dos veces —al cine escoltado por el chófer. Sólo lo movían el almuerzo y la cena y su frase favorita era: «¡Qué buena comidita!», antes de comenzar o terminar de comer. Pero, como siempre, no lo conmovía nada: Antón Arrufat era un intelectual puro y, útil habilidad para tiempos de tempestad, un sobreviviente nato. Todavía hoy, después de innúmeros naufragios, sobrevive a todo, incluso a Virgilio Piñera y a Calvert Casey, su padre literario y su hermano mayor, como quien dice.

Un día, a la semana de estar con nosotros, Antón recibió una llamada de La Habana, la que oyó sonriente, casi riéndose. Al colgar dijo: «Era la Calvita que me dice que regrese a Cuba enseguida que están pasando cosas. Pero no aclaró qué cosas. Deben de ser serias porque no repitió una sola sílaba. Mala señal». Pero Antón volvió alegre a La Habana para encontrarse con una acusación de horrores homosexuales literarios: era su culpa, atribuida, la invitación de Allen Ginsberg a Cuba. Durante su visita, Ginsberg dijo en público cosas que en Cuba eran un crimen privado, frases ofensivas a oídos machos y marciales, es decir revolucionarios. Dijo que Fidel Castro también debió tener experiencias homosexuales de niño. «Todos las tenemos», aclaró Ginsberg, «¿por qué no él?». Ginsberg confesó su amor por el Che Guevara, pero no era un amor proletario. «Me gustaría mucho acostarme con él», declaró. Finalmente, horror horro, conminó a los homosexuales habaneros a desfilar en público frente al Palacio Presidencial, portando cartelones. (Sugerencias de lema: «Maricones de toda Cuba, uníos. No tenéis más que perder que vuestra vergüenza».) Era, además, culpa de un ya abrumado Antón la homosexualización de la revista *Casa* y haber publicado un patente poema pederasta al teatrista José Triana. Allí, versos perversos, se hablaba de manchas de amor ocre en las sábanas, vaselina íntima y sudor en los cuerpos porosos. No hubo juicio, ni siquiera hubo causa: Antón fue despedido *ipso facto* de *Casa* y la dirección de la revista fue concedida como premio al pundonor militante a Roberto Retamar. Antes en desgracia latente pero ahora protegido del presidente Dorticós, a quien había convencido de sus dotes de intelectual marxista (las dotes de Dorticós aunque bien podían ser de los dos), Retamar fue el aparente instigador de las acusaciones contra Antón contra natura. No en balde Calvert no había tartamudeado por teléfono.

Cuando regresé a La Habana a los funerales de mi madre y fui retenido forzado allá cuatro meses, vi a Calvert muchas veces en mi desgracia renovada. Una vez fue su visita para agradecerme el envío un año antes de medicinas raras para curar una de sus periódicas dolencias secretas. Me dijo, a propósito de males, que ahora pensaba, como Keyserling, que sólo el dolor nos permite conocernos realmente y que la enfermedad es el estado normal del hombre. «Más es de la mujer», le dije pero no se rió, ni siquiera se sonrió. Con todo estaba a veces contento, sobre todo ahora que había descubierto el amor heterosexual con una mutua amiga. «Estoy encantado con ella», me confesó. «Además creo que voy a ser padre. ¿No es maravilloso?» Lo que con frase de Virgilio Piñera, homosexual irredimible, resultó ser una falsa alarma. «Por partida doble», dijo Virgilio con malicia mundana.

Un día visité a Calvert en su apartamento del Muelle de Luz, junto con Rine Leal. Ociosos de domingo, donjuanes de día feriado, habíamos levantado en la calle a dos muchachas de la nueva clase (léase viejos prejuicios) y las llevamos a visitar a Calvert Casey. («¿Por qué se llama así todavía?», dijo una de ellas. «Suena a yanqui.» «Es irlandés», le expliqué. «¿Peleó contra el imperialismo inglés entonces?» «Él no, su padre sí.» «Ah, vaya», dijo satisfecha. «Ésta es su casa y la de ustedes.» «Gracias», a dúo sonriente.) Cuando hice las presentaciones y les dije a ellas que tenían delante al mejor escritor cubano vivo, Calvert se sonrió radiante y al mismo tiempo cortado, tratando de ocultar su orgullo de escritor reconocido en su tierra. Pero gagueó bastante ante aquellas muchachas frívolas, ignorantes y tontas. Peor lo había hecho antes ante una mujer seria y sabia: su admirada Nathalie Sarraute, con quien no pudo hablar en nuestra mesa redonda de *Lunes*. Patéticamente formuló sus preguntas por escrito, para que las hiciera Arrufat por él. Antón me dijo, en privado, mostrando en la lengua su bola mala: «¡La Gaguita debe de ser de miedo en francés!» ahora, tres años después, en el apartamento de Calvert, tartamudeando todavía pero su amigo Emilio silente como una estatua de bronce, admiré la colección de ídolos afrocubanos que Calvert había conseguido por intermedio de Emilio, viejo practicante (aunque apenas tenía treinta años) de la santería yoruba, en la que inició a Calvert, tan irlandés protestante como se veía, católico que era, americano que no quiso ser.

Pero Calvert había pasado por otra enfermedad no sufrida por Keyserling. Había caído en desgracia política y su situación en la Casa de las Américas era más que precaria. La culpa, como siempre, no era suya pero sí el castigo. Sucedió que vino de visita a Cuba un escritor mexicano invitado por la Casa. Se llama Emanuel Carballo. Nunca lo conocí pero no he olvidado su nombre, no por lo que escribió sino por lo que habló. Calvert salió varias veces con Carballo (tal vez más de lo que era su deber de anfitrión cultural) y una noche sentados en el peligroso y apacible Malecón, Calvert confió sus temores a Carballo, que eran sexuales, homosexuales, pero no propios. La confesión era una confidencia. Ingenuo pero grave error, máxime cuando Calvert sabía que había de tener cuidado con los extranjeros que venían a buscar regalos, griegos a la inversa, siniestros. Calvert le contó a Carballo que en Cuba se estaban deportando homosexuales a granjas de trabajo en el interior que eran verdaderos campos de concentración, con guardianes y perros pastores y alambradas eléctricas. Entonces no era nada conocida esa cacería y captura velada pero sistemática. Sólo unas pocas gentes del Gobierno lo sabían. Era un secreto del Ministerio del Interior. Pero Calvert se enteraba de todo, sobre todo de los secretos de la esfinge que devora. Además tenía un amigo negro que había caído en una de esas redadas sigilosas pero, cauto, se había podido comunicar con Calvert. Carballo mostró un asombro sin límites y hasta indignación. También un interés alentador a la revelación. Calvert le dio datos, nombres, lugares, pero le pidió por favor que no los diera a conocer a su vuelta a México, no todavía. Carballo le juró discreción eterna —que duró una noche.

Al día siguiente Yeyé Santamaría hizo llamar a Calvert a su oficina. «Me desvistió», me confesó Calvert. A veces, sobre todo cuando estaba nervioso, eran los anglicismos y no la tartamudez que lo traicionaban. Calvert quería decir «Me desnudó». Carballo, ni corto ni cortés, se había ido a ver a Haydée Santamaría y le reveló en la mañana todo lo que le había contado Calvert la noche anterior. Le dijo además que era muy peligroso para la Revolución tener «gente así» en puestos de confianza. «No supe qué decirle a Yeyé», me contó Calvert, «excepto tal vez recordarle que mi puesto no era de confianza». Por supuesto, desde ese momento la situación de Calvert en la Casa de las Américas se hizo insostenible, rodeado de ojos vigilantes y regulado por nuevas prohibiciones, entre ellas las de confraternizar con extranjeros. Tal vez, con su experiencia, salvadora para Calvert.

Poco tiempo después de comenzar mi verdadero exilio, viviendo en Madrid, recibí la grata, inesperada visita de Calvert. Confraternizando con visitantes comunistas esta vez, doble seguro, se las había ingeniado para hacerse invitar a Hungría por la Unión de Escritores Húngaros, y de Budapest, maniobra maestra, voló solo a Ginebra, donde había reclamado su viejo puesto de traductor en las Naciones Unidas: no había cometido un solo error: su escapada fue tan perfecta que su amante había podido conservar su apartamento de la plaza de Luz. Hablamos, paseamos por el Prado, distinto y distante del Prado de La Habana, fuimos al cine, visité su casa de huéspedes en la Gran Vía, conversamos, pero siempre su tema repetido, su barrenillo, su obsesión era la de rescatar a Emilio por quien temía, imaginando represalias mientras urdía para él otra fuga igual. Pero ¿qué unión de qué país socialista iba a invitar al pobre Emilio a viajar a otro posible paraíso? En una ocasión Calvert me dijo misterioso, casi en susurro: «No digas a nadie dónde estoy».

Luego fuimos juntos a Barcelona donde iban a publicar sus cuentos y tal vez una futura novela. Me pidió que no revelara a su editor, que era entonces el mío, que se había exilado. Temía que sus libros no se publicaran si se sabía que era ahora un contrarrevolucionario, o en jerga neonazi, un *gusano*. Este miedo a su editor no era injustificado, como se reveló más tarde, pero en Barcelona, Calvert mostró otro temor alterno. ¿Y si los libros perjudicaran con su salida a Emilio? Pero ahora la nueva obsesión de Calvert era una vieja paranoia. Temía ser secuestrado y enviado de vuelta a Cuba. Me confesó que había hecho su viaje a Madrid de absoluto incógnito, sólo para verme y no había visitado a nadie, ni siquiera llamado a amigos mutuos en el exilio. Madrid, yo debía recordarlo, tenía una línea aérea directa a La Habana, y no sería difícil embarcar un bulto más en un avión de Cubana.

En este momento estábamos en el descampado que rodea a la Sagrada Familia y Calvert miraba subrepticio en todas direcciones, como si desde detrás de los campanarios mudos de Gaudí nos acecharan ojos y oídos adversos. Le aseguré que el temor al plagio era infundado, inverosímil, que ni siquiera yo, que había tenido cargos oficiales en Cuba y en el extranjero, temía un secuestro. Me reveló: «Pero yo sé un secreto o dos». Lo que nunca dudé: sabía que Calvert sabía y no sólo de pederastas presos o trotskystas traicionados. Duró dos días en Barcelona. Se fue de regreso a Ginebra y yo me vi forzado a mudarme a Londres, no perseguido por agentes de Fidel Castro sino seguido por agentes de Franco, no secuestrado a Cuba como contrarrevolucionario sino expulsado de España por comunista contumaz. La historia, que repite hasta sus dramas, algunas veces lo hace en forma de farsa. KM *dixit*.

En diciembre de 1966, ya exilado en Inglaterra, instalado en Londres, recién mudados para un sórdido sótano de Trebovir Road en Earls Court, paradero perverso, vino a visitarnos, vivo y alegre, Calvert Casey. Pero la alegría duró poco. Al ver nuestro apartamento, movió la cabeza negativo y dijo: «No me gusta nada». Pero no se refería a la ética ni a la estética del lugar. No era la arquitectura del edificio ni la decoración del *flat* ni la poca luz que entraba por las ventanas iluminando aún más pobremente el sótano. Nada de eso lo preocupaba. Eran las vibraciones espirituales que emanaban del lugar. Es más, declaró el sitio salado, que en la superstición habanera era mala señal ya. «No es sólo el piso de linóleo negro lo que es tenebroso», nos aseguró, «sino toda la casa. Está cargada. Pero voy a hacerles una limpieza ahora mismo».

Por limpieza no quería decir pasar el plumero por los muebles y barrer el piso sino que se refería a un acto de magia mulata cubana en que se «despoja» un lugar o una persona embrujada o a punto del embrujo. Ahora era una suerte de exorcismo antes de la posesión. Procedió a salir al patio oscuro donde había algunos árboles creciendo empecinados al borde de la estación de ferrocarril. Arrancó dos o tres gajos que encontró milagrosamente verdes en el invierno inglés y volvió a la sala, donde comenzó una danza apache y africana, barriendo efectivamente el piso con las ramas, ciertamente pasando sus plumeros vegetales por los muebles, recorriendo las paredes de toda la sala, pero nunca fue a la cocina ni entró al cuarto único. Aparentemente los malos espíritus de visita se sientan en la sala. Finalmente Calvert corrió al patio y arrojó las ramas «cargadas» lo más lejos que pudo, por encima del muro de la estación, aterrizando tal vez en un tren, sobre el que cayó toda esa miasma maligna.

Al volver del patio exclamó: «¡No puedo hacer más! Lo siento porque corren ustedes aquí un riesgo demasiado grande. ¡Esto está premiado!» Se derrumbó en una silla. Calvert, tan blanco, tan americano nato, ahora casi europeo, resultaba incongruente no sólo en su danza de la guerra al espíritu del mal sino en su vocabulario. «Este sitio tiene ñeque, caballeros», fue su último pronóstico y su remedio: «¡Que tienen que mudarse!»

No nos mudamos, claro. No podíamos y quisimos olvidar su vaticinio y hasta su visita. Pero luego, cosa curiosa, supimos que del último piso del edificio había caído a la acera uno de los inquilinos. Ocurrió años atrás pero un vecino lo recordaba bien. El muerto era un muchacho andaluz que se ofreció a abrir una puerta, entrando por la ventana, para ayudar a dos estúpidas francesitas que habían olvidado la llave dentro del cuarto. El muchacho salió por su ventana a un alero que trató de recorrer con cuidado, pero al intentar abrir la otra ventana cayó del alero a la calle, cuatro pisos abajo y quedó empalado en las lanzas de la reja del sótano. Estuvo horas muriendo mientras lo desempalaban los bomberos. La dueña del edificio, por otras razones que las sentimentales, no nos había dicho nada de esta vieja tragedia española. Era mera coincidencia que el andaluz empalado por su galantería y las francesitas fatales fueran visitas ocasionales a Londres, a Earls Court y al edificio de Trebovir Road —pero ¿era casualidad también que Calvert acertara que algo malvado merodeaba en el sótano, en la casa?

Pero Calvert volvió a visitarnos en el verano, después de haber hecho un viaje a la India y adquirido un flamante amante italiano, Gianni, sin apellido, que enseguida nos golpeó a Miriam y a mí como la imagen del gigoló, de mujeres o marciones, mediterráneo y memorable. Son los mismos que aparecen en tantos poemas de Cavafys, donde se repiten como días faustos, infaustos. Era, además, demasiado joven para Calvert. Se hospedaron en el edificio marcado en que vivíamos. Esta vez, verano, Calvert no vio los fantasmas del invierno, no sólo porque los días son largos y la luz aclara todo rincón oscuro, sino porque estaba enamorado y, ya se sabe, el amor es ciego —aun ciega el ojo del espíritu. Salimos juntos a menudo, sobre todo con Miriam Gómez, que ya conocía Londres, sus tiendas y sus precios. Ella me contó que Gianni era costoso y exigente de lo mejor por lo bueno y además era sato, que en cuba es la última escala antes de que el coqueteo se haga putería. «Lo cogí haciéndole ojitos a otros hombres en la calle.» Calvert, por supuesto, no veía nada —el amor ciega el ojo físico. Al contrario, estaba ansioso de conocer nuestra opinión sobre Gianni. Por supuesto no era prudente declarárselo, entre otras razones porque se le veía feliz. También porque aprendíamos con los ingleses que la verdad no se le dice a todo el mundo. En un momento de felicidad loca, Calvert llegó a disfrazarse con el maquillaje de Miriam, pero no era la realización del sueño del travestido que baja una escalera. No vivíamos en La Habana en un palacio y no había escalinata iluminada. Calvert sólo usó el creyón de labios para hacerse un punto de carmín en la frente. Luego se puso un pañuelo en la cabeza y sin camisa y sin zapatos empezó a bailar una danza hindú, tan grotesca, que desde entonces hizo a los bailes indios imposibles para Miriam y para mí. Pero Anita y Carolita, mis hijas, estaban encantadas de ver cómo aquel señor casi calvo se hizo señora para bailar mientras cantaba extrañas melodías melismáticas. Pura parodia.

Esta vez no hubo exorcismos pero sí dádivas. Con su generosidad de siempre, Calvert ayudó a hacer posible nuestra estancia en Inglaterra. Entonces yo había de demostrar a la inicua Inmigración inglesa que recibía dinero del exterior, ya que me estaba prohibido, como condición de entrada al país, trabajar en ninguna parte, o como decía el cuño totalizador del pasaporte totalitario: «En trabajo pagado o no pagado», con lo que se abolía de un solo golpe de sello al profesional y al amateur en mí. Calvert me prestó dinero suficiente, salvador con que mantenerme en Londres a los ojos del Home Office, a la mano del lechero. Fue gracias a este amigo, hecho hacía tan pocos años, que pude no sólo vivir sino sobrevivir entre reales anglos y sajones y uno que otro celta mítico. Calvert me dejó saber, al hacer el préstamo, que no me preocupara por pagarle hasta que nos viéramos de nuevo. No lo volví a ver.

Poco después de su visita nos mudamos para Kensington, a este Gloucester Road que le hubiera gustado tanto a Calvert al encontrar el apartamento «limpio», el edificio claro, la calle ancha, vía nada dantesca. Nunca llegó a verlo pero nos escribíamos a menudo y sabíamos qué hacía cada uno. Por supuesto que guardo sus cartas, algunas de ellas llenas de expresiones que no llamo sorprendentes porque venían de Calvert, más que un escritor un ser humano extraordinario: hasta en sus cartas más triviales era posible encontrar ese don del azar favorable.

Por ese tiempo antes de mudarnos, un traductor inglés ingenuo preparaba una antología de cuentos cubanos (Cuba estaba entonces de moda en Inglaterra) para ser publicada por Penguin Books. Queriendo mostrarse partidario del nuevo régimen anciano el antólogo propuso llamar al libro *Writers from Fidel's Cuba*. Consultado por el entonces editor de Penguin Books, le dije que si el libro se iba a titular de manera tan sicofante retiraría mi cuento de la antología. Le informé a Calvert de este acto oportunista del compilador y enseguida escribió al editor inglés diciendo que secundaba mi gesto y que él también prohibiría publicar su cuento en una antología con semejante título. El acto de Calvert era decidido porque estaba todavía en manos de su editor catalán y temía ofender su sensibilidad criptocastrista, tan a flor de piel como la de un paquidermo político que coge el sol por la izquierda.

En otra ocasión me escribió para que guiara a Emilio (que por fin había logrado salir de Cuba gracias a las gestiones de Calvert, que tenía amigos en todas partes) que se iba a Estados Unidos vía Londres. Su préstamo de antier, curiosamente, sirvió para ayudar el tránsito de Emilio por Europa ayer. Encontré a Emilio seguro, en paz no sólo con Calvert sino consigo mismo: es decir Emilio era idéntico a sí mismo. Llevaba adentro su universo afrocubano convertido en un mundo propio, propicio. En otra carta de entonces, me contaba Calvert cómo había hablado de mí en la nota de contraportada de su novela de inminente salida y el editor catalán, como un funcionario fidelista, había sugerido que dejara fuera mi nombre por conveniencias literarias. «Es evidente», me escribió Calvert, «que cada día te haces más un escritor maldito. No será bueno para publicar pero sí lo es para escribir». Calvert Casey sabía tanto de literatura como de política, aunque muchos pensaron lo contrario. Como un príncipe hechizado, Calvert era un sabio que simulaba ser un monstruo delicado para alejar a críticos y comisarios. Su sabiduría era su laberinto.

Pero nuestras relaciones epistolares no fueron apacibles a veces, aunque siempre fueron amistosas. Me había contado de peleas constantes con Gianni, separaciones de Gianni, vueltas Gianni y cada vez se me hacía el amante más un odiante. Luego Calvert me envió un fragmento de su próximo libro, novela o colección de cuentos, que situaba en la India y comenzaba diciendo que el Taj Majal estaba tan sucio que pedía una buena lavada con el mejor detergente. Me pareció que antes nunca habría dicho Calvert semejante frivolidad, o peor, tal tontería. Lo achaqué a la influencia de Gianni. No hay nada más vulgar que un italiano vulgar y el amor contamina. Calvert se ofendió cuando se lo escribí y me aseguró que Gianni no sólo era su razón de ser sino de existir, de estar vivo y de escribir: de no ser por Gianni jamás habría escrito otra línea. Le contesté: «¿Es Gianni *Lunes* por otros medios, *martedi* erótico?» No me contestó. Pero al poco tiempo me escribió para asegurarme que había terminado con Gianni para siempre. También me dijo que tenía que ir a Suiza pero al regreso de Ginebra a Roma pasaría por Londres. Me encantó la noticia de su visita: hacía tiempo que no nos veíamos: dos años casi exactos.

Recuerdo la última vez que hablé con Calvert Casey. Fue por teléfono, medio de comunicación que me repele no sé por qué. No es porque oiga voces descarnadas, ya que siempre he sido fanático de la radio y los discos me deleitan. Graham Bell, con ese apellido, debió nacer campanero o heraldo si quería siempre dar malas noticias de viva voz. No hay nada más inquietante que el timbre de un teléfono inesperado. Tarde en la noche, por ejemplo. Es casi como un telegrama hablado. Más malas noticias vienen por carta que por telegrama o por teléfono y sin embargo, en el exilio, uno espera las cartas con ilusión, aun las cartas inesperadas. Esa noche de primavera amable estaban de visita en casa una americana que quiero y un inglés que detesto, por razones idénticas pero opuestas. Él es un director de cine que antes era fotógrafo y se ha hecho inexplicablemente famoso con su escaso talento, haciendo películas tan literarias como pretenciosas, con sus imágenes fanáticas que cree fantásticas y sus citas de Borges, que es ahora el autor culto de los que no tienen cultura: el Homero del pobre. Esa noche aciaga, de fotógrafo ciego, la conversación de este hombre que cayó del cielo raso era insondable en su superficial profundidad y yo luchaba al borde del abismo de un bostezo cuando sonó el teléfono.

Era Calvert para decirme que no podría pasar por Londres, que volaría a España y de ahí regresaría a Roma y (lo que omitió) a la eternidad de que salió al nacer. Calvert siempre de regreso. Apenas pudimos hablar esa vez que nunca supe que sería la última: ni siquiera noté su voz ansiosa o apremiante, ningún anuncio, mientras a mi espalda mi asaltante visualizaba con palabras ante nuestra mutua amiga laberintos de agua, canales como Mediterráneos que quería descubrir para el cine: ver Venecia y después morir. (¿Ahogado o de artritis?) Calvert colgó. A los pocos días, en otra llamada por teléfono, traumática, Juan Arcocha, amigo que amaba a Calvert —no era una hazaña: todos sus amigos amaban a Calvert—, me preguntó si sabía ya la noticia. No, no sabía nada. ¿Cuál era la noticia? Éste es un siglo de siglas y de últimas noticias. «Calvert se acaba de suicidar en Roma», dijo el teléfono, absurdo como la muerte, o la vida.

Me costó trabajo aceptar la muerte de Calvert y confié que alguien llamaría y diría que todo había sido un error: Juan Arcocha, intérprete, había entendido mal. No era Calvert quien se había suicidado en Roma sino Calvino, nacido en Santiago de las Vegas, barrio de La Habana, escritor que vive en el Trastevere, al otro lado del río Almendares. ¿Por qué no Calvados en vez de Calvert? Pero el Calvados es un licor espirituoso y los espíritus nunca mueren. (Hay que considerar que había otra huelga de Correos en Roma, normal, total, inhibidora de las comunicaciones, que empezó por esos días.) Bien pudo ser otro malentendido, confundido Calvert con O'Casey. Pero O'Casey había muerto en Dublín, a los ochenta, cinco años atrás y Calvino vivía rampante. O tal vez fuera otro error. Confusiones cotidianas, como propone Kafka. La muerte sucede todos los días y hay muchas clases de muerte. ¿Qué si Juan Arcocha hubiera oído suicidio por homicidio? Calvert, en un exceso de celos, había matado a Gianni, vengando la afrenta del cuerpo. Pero no, el pobre Calvert estaba hecho de la estofa de las víctimas, no de los verdugos. De lo contrario se habría quedado en Cuba y sería otro Retamar ruin agasajando a otros Carballos.

Hice docenas de llamadas a través de tan malévolo como útil invento, cuchillo de dos filos, a amigos comunicantes en todas partes de Europa. Todos, erróneos, me confirmaban la noticia mal dada por Juan Arcocha a través del auricular de la Unesco: Calvert Casey se había matado en Roma, en traducciones simultáneas. Pero yo seguía esperando su carta que contradijera o explicara lo inexplicable. Nunca vino. (Debió de estar en esos cientos de miles, millones de cartas romanas arrojadas al fuego o al Tíber.) Finalmente, aplastado por la evidencia, no creí que Calvert estaba muerto pero acepté su suicidio respetable: después de todo, ese acto había sido su última voluntad. Puse un telegrama a su antigua amante de La Habana, falsa o cierta, más que nada con la intención de propagar el desastre o su eco. Un telegrama llevaba a Cuba los restos mortales de Calvert Casey que oí por teléfono. A Graham Bell, doblando, se unían ahora Morse y Marconi, cómplices, traidores transmisores. Pero nunca tuve ni un acuse de recibo de esta notoria mujer misteriosa. Era evidente que no mereció una noche de amor con Calvert, cualesquiera que hayan sido las posiciones o las combinaciones posibles, ella Gianni del otro sexo.

Pero el silencio eterno sí fue una confirmación. Calvert Casey estaba muerto, en algún lugar de Roma. Además, con lo fácil que es patear un cadáver —siempre caídos— supe que Calvert muerto había sido vilipendiado por la prensa puta romana (que no es casual que creara los *paparazzi*, de *papare*, hartarse, comer carroña casi) cuando un reportero de un diario de la noche descubrió en el modesto apartamento de Calvert —antes despojado, ahora cargado de las emanaciones del suicidio— una evidencia y saltó sobre ella: ídolos indios fornicando furiosos, postales pornográficas para pederastas. El difunto tenía gustos raros. Calvert devino, en la prosa periodística de este *paparazzo* de la letra, lo que nunca fue en su vida: un uranista, un evirado, un *scelerato* —palabras atroces, obscenas. Manos mutuas me enviaron los recortes de Prensa. No quise que ése fuera el juicio póstumo para Calvert y me negué a leer la literatura de letrina.

Después hablé con mucha gente que invariablemente decía ser la última en ver a Calvert vivo y llegué a la conclusión de que Calvert había visto en sus últimas horas más gente que nunca antes en su vida. Tal vez estaba demasiado vivo antes de matarse: murió por exceso de vida. O tal vez toda esa gente mentía casi al unísono. Pero ¿por qué? ¿Era por Calvert o por su muerte? ¿O es la fascinación por aquel que abre voluntario la puerta a lo desconocido? No sé nada. Pero uno de esos comensales íntimos, una mujer lejana y sola, que parece estar más lejos mientras más cerca está, como vista siempre por un telescopio invertido —o mejor unas antiparras de ópera al revés— me contó con voz remota que Calvert durante la última cena no dejaba de decir que se sentía culpable, el ser más culpable del mundo, con toda la culpa encima como un Atlas con un globo, cautivo. Creí la última cena de esta informante porque me la relató después de haber pasado yo por una depresión instigada al parecer por la muerte de Calvert, la pesquisa en mi psiquis, de la que me sacó solamente jugar al ajedrez continuamente con Carolita, mi hija menor, jugando los dos siempre, juego tras juego: peón cuatro dama, jaque, cambio del alfil por caballo, jaque, gambito rechazado de la reina, jaque, enroque, jaque, cambio de alfil por caballo, jaque gambito del rey, jaque mate: el rey, la pieza más importante, es la más vulnerable del juego y el ajedrez es una monstruosa metáfora mortal: al final del juego siempre espera la muerte, inexorable, sin suerte. No hay azar que abolir con una pieza. Salvado de la locura por la lógica del juego supe que Calvert se suicidó porque sufría solitario una depresión incoercible. Ésta fue el arma asesina. Pero ¿quién mató a Calvert Casey?

He aquí las pistas a seguir para quienes quieran resolver el misterio del crimen, autoasesinato. La situación de Calvert dentro de la Organización de las Naciones Unidas se había deteriorado hasta hacerse precaria. Ganó un puesto de subdirector del Correo de la Unesco (o del Boletín de la Fao o una de esas intercambiables publicaciones internacionales para consumo interno), pero no parecía probable que llegara a ocupar el cargo. Como a mí antes, en 1967, la embajada cubana en París había vetado su nombramiento por razones de Estado totalitario que la razón pura no conoce —pero sí la razón práctica. Su pasaporte cubano había expirado y ninguna embajada de Cuba en Europa lo renovaría. (La embajadora cubana en Londres, conocida como *the sweet señorita from Havana*, había catalogado a Calvert como un enfermo moral, indeseable en Cuba socialista.) No podía conseguir un permiso de residencia en Italia tampoco. Es más, la policía romana le había señalado una fecha para su salida de Italia, *mafioso mentale*, vencido su permiso de estancia en Roma. En la embajada americana contestaron a su petición de recobrar su ciudadanía con que nunca la podría volver a tener por razones más burocráticas que políticas: había renunciado a ella en Cuba, ya de adulto. Al aducir Calvert que su hermana sin embargo la había vuelto a tener ahora, sólo logró, para alimentar su culpa, una mueca de extrañeza del cónsul y en su respuesta, la revelación inquietante de que en ese caso la ciudadanía americana de su hermana era fraudulenta y por tanto sujeta a una inspección legal y a una posible pérdida inmediata de sus derechos civiles en USA. Cogido en la trampa burocrática —hombre atrapado entre cónsules— más perfecta del siglo, desesperado, Calvert le envió un telegrama personal a Haydée Santamaría a la Casa de las Américas, pero ella nunca respondió. (Me pregunto al escribir esto, ¿en qué círculo del infierno se encontrarán los dos suicidas ahora?) Gianni lo amenazaba con volver —si Calvert conseguía dinero suficiente. Sus libros nunca alcanzaron ni en España ni en América Latina la difusión que merecían, el eco crítico que él esperaba, el público que le había sido negado por decreto en Cuba, negativa que el exilio ratificó por ignorancia. Pero Calvert estaba habituado al fracaso tanto como a la enfermedad. El éxito, como la salud, lo habría aniquilado: tan sutil era su sensibilidad.

Entonces, con todas las piezas del rompecabezas sobre el tablero de ajedrez, ¿quién mató a Calvert Casey? ¿La guillotina política a caza de cabezas que rueden ejemplares? ¿Los amigos íntimos que tenía mientras más cerca más lejos, como yo? ¿Gianni, el amante alquilado? ¿Roma o el amor? ¿O Cuba, esa isla que es un espejismo en el mar Caribe, tierra de caníbales? El veredicto es del lector, juez y jurado. Tiene todo el tiempo del mundo y aun toda la eternidad para deliberar. Pero, al revés de los juicios ingleses, la defensa y el fiscal nunca descansarán.

Ahora al final, después de años recordando a Calvert Casey vivo, soñando a veces con un Calvert Casey de sombras, pensando durante meses cómo escribir este torpe homenaje a un escritor de tanto tacto, creo que Calvert Casey tuvo un destino que trasciende a la culpa de sus asesinos tanto como a su muerte que es sólo aparente. Ese destino está en ese texto único, último, escrito en Roma en el implacable inglés en que recobra a su lengua paterna, la autoridad, después que muere su madre, trasmisora de las voces de la tribu y señala con signos insólitos que para él vivir significaba morir, que solamente podía estar vivo como un homúnculo erótico, increíblemente reducido a su ínfima potencia, que ya no cree en el dios del amor más que dentro de su amante, virus venéreo, que vive en la anatomía amada tanto como en su misma mente, que su muerte ha sido resucitar en la propia literatura. Nunca Calvert Casey cuentista (no era un novelista) estuvo más vivo que cuando juega a la inmortalidad del cuerpo (y del alma amorosa) en el cuerpo de otro. Aunque el juego es en último extremo literario y son las palabras las que viven, eternas y el cuerpo penetrado sin límites es la Roma del amor. ¿No sería una perversión final que este anfitrión amado fuera Gianni condenado a vivir con Calvert en su cuerpo? Calvert había erigido así su monumento dentro de la tumba en que yace oculto entre palabras que no mueren. Pero ahora su epitafio perecedero es una cita cauta grabada en el simulacro de granito que es la lápida pálida visible en ese lejano cementerio de las afueras de Roma real que visité en una última escala antes de viajar a través del espejo sin azogue a la locura. (Esta vez el ajedrez, juego lógico, se volvió un delirio demente en que las piezas eran espías del enemigo negro y no había piezas blancas.) Esa alusión apostática aparentemente definitiva a su debilidad vulnerable es una falsa imagen fácil. Calvert Casey no era débil. Era, por el contrario, fuerte como la muerte a la que fue a encontrar en medio del camino en una cita incauta. Calvert fue el más osado de todos nosotros, hombres que fuimos *Lunes*, el que viajó más lejos, aventurero audaz. Tímido y tartamudo, Calvert fue elocuente hasta el final, después del final. Su testamento literario muestra que era tan resistente como para poder morir por las palabras y empezar a vivir en el lenguaje —¿o es en la lengua?

Una década después de muerto, Calvert resucita, se levanta en su tumba y de debajo de la lápida libresca alarga la mano huesuda que sostiene unas pocas páginas para dejarnos saber qué es la verdadera literatura, visible en esa escritura que es su carta de triunfo: su prosa es un verso comunicante: en el reverso está la vida, al anverso la muerte. Calvert Casey vive y muere en cada lectura y su texto es una cinta de Moebius para leer, finita, infinita. Esta imagen por supuesto es otro nombre para la inmortalidad. Pero ¿quién hizo inmortal a Calvert Casey?

Octubre de 1980

Dijo el actor Edmond Kean en su lecho de muerte: «Morir es fácil. Lo difícil es hacer comedia».

El suicida es un actor que juega a la tragedia. Sócrates, el más ilustre de los suicidas condenado por un gobierno democrático, tenía sentido de la ironía, la que prácticamente inventó, pero no del humor. Petronio, suicida compelido por un tirano, tenía sentido del humor, qué duda cabe, pero en el momento de su muerte sólo sentía desprecio: por el tirano romano y por la Roma que hizo posible al tirano. El último gesto de Petronio no fue de humor sino de mal humor. Cuenta Tácito: «Petronio, un noble, cuando iba a morir por la envidia y el celo de Nerón, rompió su frasco favorito para el vino, hecho de frágil flúor, para que no lo heredara la mesa del Emperador». El suicida sabía lo que aprendió el cortesano: la presa es mayor mientras más alto vuela el ave de rapiña.

Escogí lo más difícil, la comedia. El emperador y su séquito habrían preferido la tragedia. Sin embargo.

«Sin embargo mi humor mayor es para un tirano.»
WILLIAM SHAKESPEARE

Lydia Cabrera y Enrique Labrador Ruiz

A fines de los años treinta había dos cubanas *emigrées* y como la palabra indica ambas vivían en París. Una venía de una familia musical, la otra era hija de un abogado respetado ya desde el siglo pasado. Esas mujeres eran Anaïs Nin y Lydia Cabrera. Anaïs se hizo francesa en París y después americana en Nueva York. Lydia regresó a Cuba a cumplir su destino cubano.

Lydia se hizo la más grande escritora cubana del siglo. Ella inventó por sí sola lo que yo he llamado antropoesía, mezcla de antropología y poesía con que ella recobró las leyendas hechas religión traídas con la esclavitud a Cuba. Cuñada del etnólogo erudito Fernando Ortiz (que fue quien acuñó el término afrocubano, del que vienen todos los afros, incluyendo el peinado que hizo popular a Ángela Davies, pero ¿quién es Ángela Davies?), Lydia venía no sólo de una familia patricia y fue a París a estudiar arte a la usanza. Fue de estudiante en París que encontró el pájaro azul: allá oyó hablar por primera vez del arte negro. Así cambió su vida al escribir un libro, publicado por primera vez en Francia en 1936, llamado *Contes nègres de Cuba,* traducido del cubano por Francis de Miomandre, traductor de Cervantes y Quevedo. Lydia regresó a La Habana para encontrarse con que su vieja tata negra todavía recordaba todo lo que tenía que ver con los negros de África en Cuba.

La tata, llamada a veces chacha como la muchacha que fue, la transportó a África y ya Lydia no volvió a mirar atrás. Publicó luego numerosos libros sobre los dioses bantúes y yorubas que coexistían en Cuba con la religión católica y los santos españoles. Así Changó se sincretizó con Santa Bárbara: ambos llevaban espada, ella era depósito de explosivos, él era el dios de la guerra, uno se acuerda de ella cuando truena, el otro era dueño del rayo. Además, consideren el aspecto literario: Changó, como Aquiles, para burlar a sus enemigos se disfrazó de mujer (Santa Bárbara) pero lo delató, como a Aquiles, su espada: su virilidad. Así nació la santería, la más poderosa unión sincrética de las mitologías africanas con el catolicismo, que no se extinguió con la persecución atea sino que se fue de Cuba al exilio y se regó por la cuenca del Caribe y al norte en Manhattan y New Jersey y llegó hasta la tierra del sueño de Hollywood.

Al principio su familia y sus amigos se alarmaron ante el interés de Lydia. Era demasiado amistosa con los *santeros* (negros brujos) y lo que es todavía peor, con los *abakúas,* la sociedad secreta conocida —y temida— como ñáñigos, prohibida para mujeres y homosexuales. Pero Lydia fue recibida por los sectarios como uno de ellos. Quizás haya ayudado que era de la alta sociedad, pero si creían que ella sólo quería husmear, se equivocaban. O quizá todo se debió a su encanto personal, ese encanto con que se ganó a los gitanos de Lorca en España. Lorca mismo le había dedicado su mejor poema, «La casada infiel» a Lydia —y añadió Lorca con gracia «y a su negrita». Fue Lydia quien puso en contacto a Lorca con Margarita Xirgu, con el resultado conocido. Pero también Lydia llevó a Lorca a un *ekbó,* ceremonia de santería, y el poeta, siempre delicado, se desmayó (o fingió desmayarse) en brazos de Lydia, que era una mujer frágil pero fuerte.

Su enorme encanto era todavía visible con más de noventa años. Encanto quiso decir un día ensalmo y tal vez Lydia ensalmó a los brujos de la tribu secreta, para dominar la magia negra en que nunca creyó. Fue por eso que le permitieron entrar al cuarto *fambá* (fue la primera mujer que lo consiguió), que era el *sancta sanctorum* de los ñáñigos. Ella era en su trato con hombres y mujeres de un raro encanto, de veras encantadora.

Pero también fue una investigadora seria de las culturas africanas que sobrevivieron en Cuba al gran naufragio racial que fue la esclavitud. El folklore negro sobrevivió a todos los desastres y resurgió más potente que en la África negra dejada detrás pero convertida en una nostalgia de tambores. Ésta es la principal razón por la que sobrevivieron en Cuba, en Haití y en Brasil: eran esclavos pero conservaban su tambor como fuente de religión y de música. Es decir su cultura. En la América sajona les quitaron el tambor pero les dejaron el color fijo: no hay mulatos en Estados Unidos, todos son *black.*

Lydia me recordó siempre a Karen Blixen, una mujer aparentemente frágil que era cujeada, dura y que amaba al africano más que a nada en el mundo. Pero Blixen se quedó fuera de África, como dice su obra maestra, mientras que Lydia, constante, constantemente en todos sus libros va siempre al África. Lydia escribió su epitafio en una entrevista (fue la mujer cubana más entrevistada) que concedió una vez: «De no haber habido negros en Cuba, nunca habría vivido allá».

Murió en Miami, donde vivió por más de un cuarto de siglo con su constante compañera, Titina de Rojas, una belleza de sociedad a la que Lydia convirtió en arqueóloga importante. Titina era la dueña de la fabulosa Quinta San José, donde también vivió Lydia. Al exilarse ambas en 1960, el alcalde de Marianao ordenó arrasar la quinta y las palmeras que la rodeaban. Irónicamente Fidel Castro envió luego a comisarios como emisarios para decirle que el Gobierno de Cuba le daría la bienvenida y hasta le ofrecieron otras mansiones, cuando Lydia vivía en un minúsculo apartamento en un suburbio de Miami. Lydia Cabrera se mantuvo firme, magnífica hasta el final en su destierro.

Una leyenda recorre el exilio y dice así:

Una tasca en el viejo Madrid, una tarde de noviembre de 1976. Dos hombres de edad media conversan sentados a una mesa. Uno de ellos es un negro imponente que podría ser el modelo de Otelo, el otro hombre es blanco, bajo, con ojos saltones que parecen verlo todo. Los dos son cubanos, exilados los dos y han estado conversando más alto que los madrileños que los rodean, que ya es decir. Uno de los dos cubanos fue periodista poderoso, jefe de redacción pero en realidad director del *Diario de la Marina,* uno de los periódicos más antiguos del continente americano. El otro hombre es escritor, sobreviviente de profesión y viajero sin brújula.

Son, de derecha a izquierda, Gastón Baquero y Enrique Labrador Ruiz que charlan vida abajo. Cuando se produce un claro en la espesura de su conversación, se oye un ruido inusitado: la tasca toda aplaude. Está todavía aplaudiendo a los dos cubanos que conversaban. Los oyeron como quien oye llover al principio, después escucharon atentos, luego aplaudieron atronadores. Los madrileños, que saben de diálogos de tasca, reconocieron a los dos forasteros como lo que eran: maestros de la conversación. Los dos escritores conversaban alegres aunque recordaban su juventud en voz alta. Baquero es el primer poeta de Cuba, Labrador, como le llamaban todos para invocar el sol de su conversación, era un novelista famoso en toda Sudamérica. Los dos cubanos se permitían incurrir en lo que Dante llamó el «mayor dolor» y recordaban el tiempo feliz en la desgracia. Los dos amigos en la tasca eran exilados ambos y lo único que les quedaba en la vida era su arte. En el que figuraba, prominente, la conversación.

Labrador fue un adelantado en la América hispana de lo que luego se llamó, con más ruido que acierto, el *Boom.* También era un rebelde dentro de una revolución. Pagó caro ambas hazañas. En 1933 Labrador publicó una novela *(El laberinto de sí mismo)* que él llamó *gaseiforme,* que hay que esperar a Lezama Lima, cuyo *Paradiso* se publicó en 1966, para encontrar un acercamiento similar al arte de narrar en el trópico. Luego escribió varios sujetos de experiencias que fueron objetos de experimento, como *Cresival* (1936) y *Anteo* (1940), cuyos títulos mismos son novedosos en extremo. Más tarde, en su vida estuvo preocupado con ciertas formas informes que llamó «novelines neblinosos», porque eran algo más y algo menos que novelas y los envolvía una niebla de prosa que se disipaba en la lectura. En 1940 publicó un libro cuya materia era casi una presciencia de aquella tarde de Madrid treinta y cinco años más tarde. Se titulaba *Papel de fumar —Cenizas de conversación.* Ninguno de los dos hombres fumaba entonces.

Labrador fue un viajero voraz que devoraba leguas como millas. También fue un escritor prolífico que publicó mucho y conoció a todo el que fuera alguien en América —y en otras partes. Su último libro, publicado en Miami en 1990, cuando ya estaba encerrado en el laberinto de la senilidad, se llama con un retruécano escogido, *Cartas à la carte.* En español, lo dijo un español, los escritores descienden de Cervantes manco o de Quevedo diestro en los duelos. Labrador viene de Quevedo. Pero, al revés de Quevedo, pugnaz, Labrador era un hombre amistoso, gregario, que podía ser amigo a la vez de Asturias y del león literario que fue Neruda. Bebedor a la manera irlandesa (manes de Flann O'Brien), Labrador se vanagloriaba de haber desterrado a Neruda (tan buen bebedor como él) a dormir debajo de la mesa en cada duelo. Pero al revés de Neruda, Labrador fue toda su vida un demócrata que no mereció el premio Stalin y trató de dejar la Cuba de Castro como un barco que ya antes de zarpar se hundía. No lo consiguió hasta 1976. El precio que tuvo que pagar no sólo fue dejar La Habana detrás sino los sesenta mil volúmenes de su biblioteca (yo la vi, yo los vi), muchos de los cuales estaban autografiados por su autor. Labrador estaba más orgulloso de sus libros que de sus encuentros con su «amigo Johnny, de apellido Walker». Como en un *wake* irlandés (tan parecidos a los viejos *velorios* cubanos), hay que beber a la salud de Labrador cantando una canción que dice: «Sobre una tumba una rumba».

DATOS VITALES

Enrique Labrador Ruiz, escritor y *causeur,* nació en Sagua la Grande, Las Villas, el 11 de mayo de 1900, casado con Cheché, murió el 10 de noviembre de 1991. Lydia Cabrera, antropoeta, nació en La Habana el 20 de mayo de 1900 y murió en Miami el 19 de septiembre de 1991.

Noviembre de 1991

Montenegro, prisionero del sexo

Cuesta trabajo creer, ya lo sé, que el periódico *Hoy* en los años cuarenta fuera una universidad. Así fue por lo menos en los primeros cinco años de la década. El Partido Comunista, del cual era su órgano, estaba en auge entonces. Era legal, Batista le había regalado la Confederación de Trabajadores de Cuba, la poderosa CTC y dos de sus miembros más destacados, Juan Marinello, antiguo presidente de Unión Revolucionaria Comunista, viejo venerado, poeta, ensayista, y Carlos Rafael Rodríguez, el futuro tercer hombre de Fidel Castro, eran ministros destacados en el gabinete batistiano. Con Batista el Partido tenía bastante dinero en forma de anónimas sinecuras y fuera Stalin era el «tío Joe» para el frívolo Roosevelt y también, ¿por qué no decirlo?, para el astuto Churchill: los tres se sentaban en la misma mesa a trinchar el mapa de Europa y del mundo.

Para colmo, el líder comunista americano Earl Browder, de acuerdo con Moscú, había creado toda una teoría revisionista en la que el comunismo y el capitalismo eran la misma cosa pero con *gulags,* de los que nadie en Cuba sabía o quería saber. Ni de *gulags* ni de purgas. Los americanos, siempre influyentes, consiguieron sin dificultad que el líder comunista cubano, apodado por sí mismo Blas Roca, emulara (verbo favorito del comunismo) a Browder y declarara que en Cuba el Partido Comunista, devenido inerme Partido Socialista Popular, se convertía al *browderismo* como una suerte de Enmienda Platt marxista. Para colmo, el llamado partido del obrero, en menos de cuatro años compartiendo el poder con Batista, mulato como Roca, llegaría a postular para la próxima presidencia de Cuba al candidato batistiano, Carlos Saladrigas, un altanero miembro de la alta burguesía blanca. Ver para creer en Marx.

No sabía nada de esto, claro, cuando fui con mi padre por primera vez al periódico *Hoy* el día 27 de julio de 1941. La fecha está marcada con tinta en mi memoria porque allí vi y oí por primera vez máquinas de escribir colectivas tecleando al unísono, para crear ese sonido característico de las redacciones que hoy ha desaparecido ante la proliferación del *word processor,* la máquina muda que compone letras verdes. Otro descubrimiento emocionante fue ver los linotipos cazando letras como insectos, un pájaro inventado por el hombre, para cocinarlas en una sopa de plomo derretido. La mayor, más estruendosa y feliz invención era la rotativa, vista en el cine produciendo siempre extras sensacionales, pero ahora atronando el patio de máquinas al hacer impresión sobre la cinta interminable de papel periódico. Y por sobre todo, como una emanación, el olor de la tinta que iba de menor, en las máquinas de escribir, a mayor en la máquina de imprimir. Todo era un espectáculo inolvidable que se iniciaba con un timbre eléctrico avisando que la función iba a empezar. Como en el cine del pueblo.

Pero con el tiempo resultaría más inolvidable la congregación de tanto talento bajo el mismo techo. Sería hacer listas mencionar sólo los nombres de los hombres y mujeres que en ese momento trabajaban en el periódico *Hoy*. Está, primero porque era el de más talento, Lino Novás Calvo. Después venía Carlos Montenegro, del que hablaré enseguida y Rolando Masferrer, que había estado, como Lino y Montenegro, en España durante la guerra civil. Pero Masferrer había ido como combatiente. Ahora estaba cojo de una herida que había sufrido en una pierna en el frente de Madrid. Masferrer había sido además un combatiente urbano en la Universidad de La Habana y en otras partes de la ciudad, mandado siempre por el Partido. Ahora se veía más pacífico como jefe de cables, traduciendo de unos rollos que salían de otra máquina maravillosa, la teletipo, que escribía sola pero sólo mensajes en inglés. Masferrer, que luego se hizo gángster y esbirro de Batista y que moriría volado por una bomba en Miami después de cumplir condena en Sing-Sing, demostró en el *ínterin* ser uno de los mejores periodistas que ha dado Cuba, escribiendo una prosa dinámica y audaz que pedía prestado a los anarquistas, como hizo Hemingway, párrafos pujantes cargados de cojones y carajos que manejaba con soltura, sin censura. ¿Quién era capaz de corregir al incorregible líder de los Tigres de Masferrer, que no era un club de pelota sino una banda paramilitar capaz de aterrar a todo el que vivió en Cuba de 1952 a 1959? Masferrer era el miedo. Una vez, antes del golpe de Estado de Batista, la policía lo sorprendió en el acto de enterrar vivo a un enemigo que seguramente lo merecía.

Entre las mujeres de *Hoy* estaban Emma Pérez, que se había casado con Montenegro en la cárcel, y Mirta Aguirre, lesbiana obvia, que no se casaba con nadie. Emma Pérez, profesora de pedagogía en la Universidad de La Habana, se fue junto con Montenegro y Masferrer para crear una facción alrededor de un periódico, *Tiempo en Cuba,* y luego la revista *Gente,* que ella dirigía con mano férrea y en la que produjo, como luego en su columna de la revista *Bohemia,* un periodismo culto nada oculto, más bien exhibicionista, que manejaba la alta cultura y la cultura popular con extrema facilidad. Mirta Aguirre crítica de cine con un criterio partidista, pero con un manejo de la cultura del cine seguro y sagaz, también hacía crítica de música y de teatro con la misma autoridad. Fue una mujer de un raro valor, incluso físico, y cuando la conocí ya de mayor (fuimos juntos profesores de la Escuela de Periodismo) pude apreciar su ingenio mordaz capaz de ser mordaza. Socratesa comunista, su propio partido la acusó de pervertir a sus alumnas y ahí terminaron, bajo Castro, sus días y sus noches.

Hubo otros escritores en *Hoy* que serían fuera de serie dondequiera como Carlos Franqui y Agustín Tamargo. Ambos irían a hacer grupo con Masferrer pero Franqui lo hizo sólo por poco tiempo.

Dirigía el periódico entonces Aníbal Escalante, después famoso por su doble encuentro con Fidel Castro, que demostró que Escalante no sólo era un político muy inteligente sino un hombre de un valor personal extraordinario. Muchos, por hacer menos, fueron fusilados por Castro. Aníbal, como todo el mundo lo llamaba, casi se hizo con el poder con beneplácito ruso. Pero esa época se conoce como el período en que Castro gobernaba con el pseudónimo de Aníbal, que fue de veras escalante. Aníbal, pocos lo saben porque se escondía, *larvatus prodeo,* era un hombre de una gran cultura y su biblioteca, que dejaba ver a pocos, era vasta. Pero, era, siempre fue, un estalinista feroz. Fue así que pudo enfrentarse a ese otro Stalin nada fiel. Aníbal lo supo demasiado tarde. Como Jruschov murió oscuramente.

La figura literaria dominante en el periódico (aparte Nicolás Guillén, poeta en residencia) era Carlos Montenegro el del nombre memorable, de figura formidable. Montenegro era jefe de redacción, que quería decir que se ocupaba de literatura. Era la segunda jefatura después del jefe de información, cargo más periodístico. Montenegro era entonces un hombre alto, hirsuto, de cara mala a la que gruesas gafas daban aspecto de topo. Era encorvado, descuidado y de pies planos y uno se pregunta cómo fue una vez sexualmente irresistible. La respuesta es la cárcel: en la que había pasado quince años de su vida no demasiado larga entonces.

Como Novás Calvo, Montenegro había ejercido, de joven, los más variados oficios. «Grumete, cargador de bananas en Centroamérica», enumera Enrique Pujals en la cubierta. Nacido en Galicia, Montenegro emigró a los siete años a Cuba. A los trece años se embarcó en un *tramp* de cabotaje, vivió un año en Argentina, fue minero y trabajó en una fábrica de armas en Estados Unidos. Pujals afirma que fue apuñalado y puesto preso en Tampico, que puede ser una fábula. Otra fábula, esta vez más cerca de la vida, es que a los 18 años fue acosado sexualmente por otro hombre en la zona habanera de los muelles, al que mató. Fue condenado a cadena perpetua y cumplió 15 años en el presidio del Príncipe de La Habana. Fue en la cárcel que comenzó a escribir y ganó un concurso de cuentos patrocinado por la revista *Carteles,* entonces la más importante de Cuba.

Su vida, paralela a la de Lino Novás Calvo, cambió al ganar este premio y saber toda La Habana cultural que el autor del cuento («El renuevo», influido, por supuesto, por Máximo Gorky, realista socialista con una insoportable carga sentimental entonces en boga), estaba preso por lo que la moral al uso consideraba la defensa del honor. Se organizó una comisión primero, luego una protesta y finalmente una petición de indulto. Montenegro fue indultado no sin antes casarse en la cárcel. Curiosa manera de salir de una condena para entrar en otra.

En libertad, Montenegro, niño lindo de la izquierda liberal habanera, siguió el camino de toda carne política: se hizo comunista y su fama creció bajo el frondoso árbol histórico del Partido. Publicó, inevitablemente, un libro titulado *El renuevo y otros cuentos* (1929) después *Dos barcos* (1934), otra colección de cuentos y luego se fue a España como corresponsal durante la guerra civil. De allí regresó con un libro de reportajes de guerra y una narración partidaria, *Aviones sobre el pueblo.* Poco antes de irse a España publicó su obra maestra, la novela *Hombres sin mujer,* que es todo lo contrario del cuento que escribió en la cárcel. Dura o más bien implacable, como el título apenas indica, y llena de sexo de principio a fin: de la única clase de sexo posible en la cárcel. Autobiografía en apariencia, *Hombres sin mujer* es un libro en que la pederastia y esa forma particularmente cubana de la sodomía, la bugarronería: la posesión activa por un hombre de otro hombre que hará las veces de la mujer, forman la sola relación posible. El libro fue considerado en su tiempo, en Cuba y en todas partes, como una obra maestra —y lo es.

Extrañamente en español habrá que esperar hasta la publicación de *El beso de la mujer araña,* de Manuel Puig en 1976, que es una ficción creada por la imaginación de su autor, para encontrar un libro que pueda ser semejante. *Hombres* es una autobiografía cruel: el destino que evitó su autor con la muerte de su asaltante se cumple en la cárcel finalmente accediendo su protagonista a los mismos requerimientos sexuales, pero con la voluntad del deseo. Dice Montenegro en su advertencia al lector, «considero un deber... describir en toda su crudeza lo que viví». La novela es un antecedente de Genet. Mejor que Genet porque no contiene la carga de literatura pseudorromántica con que Genet idealiza el crimen. Además, Montenegro nunca fue ladrón. Se libró así de publicar un canto al robo con fractura y pederastia.

Hombres sin mujer es no sólo una gran novela cubana sino del idioma español, sin comparación posible. Pero el grito desesperado del preso loco por tener una mujer, que aúlla: «¡Yo quiero comer gallina blanca!», recuerda extrañamente al momento en *Amarcord* en que el gigante loco subido al árbol (de la vida) grita al viento: *«Voglio una donna!»* Afortunadamente, no para el autor que está muerto, para los lectores, el libro no está del todo olvidado y ha habido dos ediciones sucesivas recientes en México y España. Los jóvenes entusiastas de Málaga no malgastaban su entusiasmo cuando, para lanzar su editorial, escogieron este libro tan localmente cubano (es más, habanero, es más propio de El Príncipe, encerrado en él como preso) al felicitarse por su elección, al declararse afortunados al dar a conocer al lector español un antecedente memorable, una obra maestra nada ordinaria.

El Montenegro que comandaba la redacción de *Hoy* no como un preso exaltado sino como un autor laureado (acababa de publicar su tercer tomo de cuentos en 1941, *Los héroes,* y se ganaría el prestigioso premio Hernández Catá en 1944) nunca daba importancia no sólo a sus premios sino a la literatura misma. Es el error cometido por Lino Novás que nunca siquiera pasó por la cabeza de Virgilio Piñera o de Lezama. Ahora, chancleteando más que caminando por la redacción, Montenegro era como un oso benévolo y si Hollywood hubiera hecho la película de su vida le habría dado el papel, sin duda, a Walter Matthau.

Un día en que me movía en la redacción de un escritorio al cuarto de cables donde se recibían los resultados de la Serie Mundial de baseball, pasión más que afición, Montenegro me atajó:

«Ven acá», me llamó y era por supuesto una orden. Me dijo que me veía tanto en el periódico que creía que yo quería ser periodista cuando mayor. Lo pensé pero nunca se lo dije: a los 12 años yo sólo quería ser pelotero, jugar si no en las grandes ligas por lo menos en la liga cubana de invierno. Fantasías infantiles. Pero Montenegro siguió:

«¿Tú sabes escribir a máquina?»

Le dije que no. Me dijo que me iba a enseñar y dio media vuelta experta a su máquina, que estaba sobre un satélite, palabra que todavía me asombra. (¿Era cada periodista un planeta entonces?) La colocó frente a mí.

«Escribe.»

Traté pero mal, claro.

«Para ser periodista», me instruyó, «hay que saber primero escribir a máquina. ¿Entiendes?» Le dije que sí. Traté de nuevo. «No, no», me dijo. «Nunca escribas con todos los dedos. Los periodistas nada más escriben con dos dedos. Si escribes con todos los dedos no serás nunca periodista, serás mecanógrafo.»

Esta lección, la única que aprendí para aprender a escribir, no la he olvidado. Cada vez que alguien, al verme escribir, con el dedo del medio derecho y el índice izquierdo, trata de que escriba con los diez dedos sé que me está reduciendo a mecanógrafo.

Cuando Montenegro, Emma Pérez, Lino Novás Calvo y Masferrer y los suyos dejaron el periódico, no los volví a ver en grupo. Vi, sí, a Lino Novás muchas veces pero nunca después que dejó Cuba como dejó el periódico *Hoy.* Vi también a Montenegro en su exilio de Miami. Estaba recluido en su apartamento como si fuera su celda voluntaria. Blanco en canas, había cogido de viejo un aura noble. Ya no parecía un topo: se parecía al prisionero de Alcatraz del cine y hasta había cierto parecido entre Montenegro y Burt Lancaster. Para acentuar la semejanza, Montenegro tenía ahora su apartamento lleno de jaulas con pájaros: canarios, sinsontes, azulejos y, creo, hasta tomeguines del Pinar, ese pájaro tan cubano.

Hablé con Montenegro y recordaba el periódico *Hoy* pero lo recordaba mal, era evidente: aseguraba que lo había dejado en 1938, cuando todavía no había sido fundado. Le dije que en esa fecha fue coeditor de la revista *Mediodía.* No recordaba. Tampoco recordaba haberme dado una lección de mecanografía. Algunos viejos recuerdan el pasado más remoto, pero otros, por una falla particular de la memoria, no recuerdan nada. Cuando se trata de un escritor no hay que buscar los recuerdos sino sus libros. Pero me sorprendió que Carlos Montenegro, antes de morir, ya no recordaba nada de su vida ni siquiera sus libros.

Lino Novás Calvo, más maltratado por la vejez que Montenegro, por lo menos recordaba la exactitud de un artículo que sustituía a un pronombre. Eso no es gramática, que es la mecanografía de la escritura. Eso es, ni más ni menos, literatura. Montenegro murió en Miami en solitario.

Enero de 1992

La luna nona de Lino Novás

Acaba de morir Lino Novás Calvo, en Nueva York, después de diez años de agonía ignorada. El autor de *Pedro Blanco, el negrero* había sufrido una serie de embolias en la década de los setenta que lo habían dejado medio paralizado primero y luego paralítico y finalmente convertido en ese vegetal que a veces parece ser el camino de toda carne. Nunca sabremos de cierto cuánto sufrió Lino en su parálisis, pero sí sabemos lo que padeció con esta muerte en vida, su viuda Herminia del Portal. Fuimos con ella Miriam Gómez y yo a un hospital en que sólo visitarlo era una visión violenta del infierno de la senilidad. La demencia, la invalidez y la idiotez senil eran allí el decorado y el único paisaje posible. Entre estos reos a los que Jonathan Swift con ironía irreverente llamó los Inmortales: condenados a la vida, prisioneros de su supervivencia en la cárcel de la longevidad. Allí Lino dio una última muestra de su energía creadora.

Tengo en mi anaquel de libros cubanos una primera edición barata pero para mí preciosa. Es *La luna nona,* título remoto, publicada en Buenos Aires en 1942: es decir hace más de cuarenta años. Este volumen de cuentos es una obra maestra del género y cuando un día se escriba la historia definitiva del cuento en América se verá que Lino Novás está entre sus maestros: Horacio Quiroga, Borges, Felisberto Hernández, Juan Rulfo, Virgilio Piñera, Adolfo Bioy Casares para citarlos en orden cronológico. Lino Novás fue el primero que supo adaptar las técnicas narrativas americanas a una escritura verdaderamente cubana —y lo que es más, habanera. En sus cuentos se oye hablar a La Habana por primera vez en alta fidelidad. Sobre todo La Habana de las afueras, la que conversaba en Diezmero y Mantilla y Jacomino y Luyano y Lawton Batista: en los traspatios.

Todo ese submundo urbano, suburbano, era un orbe nuevo. Cuando otro escritor cubano nacido en España, Antonio Ortega (de Gijón, Asturias) me dio a conocer los cuentos de Lino (desde entonces ya no más Novás Calvo) fue como si abriera una puerta pequeña, la del tomo, a un mundo ancho pero propio, contenido bajo el título de *La luna nona.* Recuerdo haber llevado el tomito en el regreso ritual de Navidad al pueblo natal, leyéndolo todo molido en mi vagón de segunda, el tren convertido en mi Transiberiano, el viaje largo en el tiempo no en el espacio: un Orient Express a través del espejo.

El tren había salido de la vieja Terminal de Egido a las diez de la noche, con el brazo lívido de Chelo diciendo adiós desde el andén, y al amanecer estábamos todavía en la provincia de Las Villas, enfilando la inmensa llanura continua (Cuba, como África, no es más que una extensa sabana) que era el paisaje de Placetas a Cacocún, el empalme para Holguín, y el resto del trayecto hecho en el gascar de vía estrecha a Gibara: lomas, un túnel, el mar. Todo ese viaje de fin de año de 1947, fin de una era y comienzo de la literatura, lo había pasado leyendo y releyendo la rara prosa de Novás Calvo. Rara no por remota sino por prójima: esas gentes de nombres exóticos como Acerina Canadio, Silvia Silva, Nazario Niela no vivían en *La luna nona,* en las afueras, como el cuento sino entre nosotros. «Él reía su risa arrancada», cuenta Lino sin apenas darle importancia a la imagen vertiginosa, «y decía que pensaba acabar con todos los carros del garaje, y los ojos se le estriaban». Créanme, no se escribía así en español, o en cubano, antes de publicarse «En las afueras». No se volvió a escribir igual después.

Recuerdo haber leído luego su cuento «Angusola y los cuchillos» con una extraña emoción que era el arte emotivo de las palabras que lo traían todo: los nombres, los hombres y las mujeres (¡Ah, Sofonsiba Angusola!) y el sexo sobresaltado en una oscura violencia vital. A pesar de mi respeto por Carlos Montenegro, Lino Novás Calvo se convirtió en mi escritor cubano favorito y hasta la llegada de William Faulkner y de Borges (juntos en *Las palmeras salvajes),* en mi escritor favorito entre todos. Habría hecho (de hecho, hice) proezas por leer un nuevo cuento de Novás Calvo. Se hicieron de veras escasos.

Recuerdo a Lino, la persona, a la puerta de *Carteles* esperando, viejo chófer, a Herminia del Portal, su mujer, entonces directora de *Vanidades* y la periodista que ella sola había revolucionado la prensa femenina cubana como lo haría después con la continental. Lino, a la espera, me saludaba al pasar con un falso falsete en que siempre se refería a mi programa de televisión diciendo: «Te vas a convertir en un actor, ya verás» tal vez advirtiéndome contra la imagen, personal y virtual en la televisión. Por esa época Lino había dejado de escribir cuentos y hacía raudos reportajes para *Bohemia* (de la que era Jefe de Redacción), algunos tan admirables que parecían calificar como literatura a regañadientes. Solía decir cosas insólitas, como «No hay que escribir cuentos. La literatura está acabada. Lo que hay que hacer ahora es reportajes. El cine y la televisión han aniquilado a la letra literaria. No queda más que el periodismo». Actitud que me asombró y me molestó al creer, como creía, que la única razón para hacer periodismo, entonces y ahora, es hacer literatura diaria o semanal: el periódico como pretexto literario.

Cuando Lino escogió el exilio, estábamos en las antípodas. Lo que no me impidió saltar sobre un solitario (y sin duda único) ejemplar de *La luna nona,* canela y limón, viejo y amarillento, inusitado, en una librería de viejo de La Habana Vieja a fines de 1961 —fin de una era. Cómo saqué ese libro clandestino de Cuba, lo conservo todavía, rara copia, es toda una historia, otra historia. La de ahora es la de Lino y la literatura. En 1967 publiqué un libro titulado *Tres tristes tigres* que contenía una serie de homenajes literarios en forma de parodia a varios escritores cubanos, de Martí a Virgilio Piñera. Había, tenía que haber, una parodia de Lino: a su estilo, a sus nombres, a su prosa. Lino había regresado a la literatura en el exilio, que en vez de destruirlo había fortalecido su vieja vocación: había escrito cuentos, publicado libros y enseñaba entonces español en la Universidad de Syracuse, en el Estado de Nueva York, a donde han regresado ahora sus cenizas. De allí me escribió una carta que mostraba que había entendido como ataque lo que era mi honrar honra. Estaba de veras dolido y me llamaba Guillermito. Pero el tono no era de afecto por cierto. ¡Por favor! Si hasta había homenajeado a Alejo Carpentier, personaje de veras desagradable, cómo iba a atacar a Novás Calvo, ¡a Lino! Lo que Lino creía ver no era siquiera burla: era encomio. No contesté su carta porque pensé que sería exacerbar su encono. En el verano de 1980 viví tres meses en Manhattan y decidí que era hora de visitar a Lino y conversar. Sabía que estaba internado en un hospital de inválidos y después de insistir con Herminia del Portal, ésta *consintió* a la visita, a la que nos acompañaría a Miriam Gómez y a mí. No lo sabía pero iríamos a ver los restos vivientes de Lino Novás Calvo. Fue, sin embargo, una ocasión memorable.

La sala en que estaba recluido Lino olía a lo que huelen los viejos chochos —sudor agrio, orines, babas— y Lino apareció sobre una silla de ruedas. Había sufrido más de un cambio. El habanero menudo, delgado, atildado, se había convertido, por la magia del regreso biológico, en un gallego fuerte. No se veía limpio pero no estaba del todo inválido y podía pintar, aunque coordinaba sus manos mejor que sus ideas.

Conversamos, con Herminia de simpática, patética intérprete, haciendo llegar a Lino nuestras preguntas por el método de la repetición en eco y alzar la voz. En un momento inusitado me vi hablando con Lino directamente y le conté la historia del nuevo encuentro con *La luna nona* bajo el sol de Cuba. No parecía tener idea de qué era Cuba y por supuesto no sabía nada de lunas, nonas o no. Le mencioné de pasada una de sus obras maestras perdidas, el cuento «Angusola y sus cuchillos». Lino me corrigió enseguida. «Y *los* cuchillos. *Los.*» Todos se sorprendieron de ese súbito despertar de su mente en hibernación. O no todos. Yo había visto en esta corrección surgir la naturaleza, segunda o primera pero siempre verbal, del escritor por entre el laberinto de la mente extraviada. Lino había demostrado que hasta ahora, en sus setenta años largos, a pesar de la embolia y los derrames cerebrales, pese a la metódica, casi malvada destrucción de su mente por su cuerpo, su memoria de escritor estaba intacta: una palabra había bastado para activarla. Pero es que para un escritor una palabra es siempre más que una palabra. Para él era ahora el pasado Novás Calvo creador irrumpiendo en el presente limbo de Lino.

Me fui con más esperanza de la que vine de que Lino regresaría, se recobraría. Le dije a Herminia, convertido en analista súbito, que la mente de Lino necesitaba ejercicio tanto como su cuerpo: unas conversaciones literarias a menudo lo sanarían. Ésa era mi terapia: ¡conversaciones literarias! Como otras veces, me equivocaba rotundo. El fuerte campesino gallego a que Lino había revertido, le sostuvo el cuerpo pero no la mente. Lino tuvo dos *strokes* más y finalmente quedó totalmente inválido, cuadriplégico casi: excepto por un brazo que se le lanzaba en espasmos, no podía mover su cuerpo —ni siquiera la mano con que escribió *La luna nona.* Así vivió un año y medio más. Ahora acaba de morir el hombre que había nacido en Galicia en 1905 y a los siete años había sido enviado, solo, a Cuba, a vivir con un tío remoto y tal vez a «hacer las Indias» y convertirse en indiano. Sin saberlo su madre lo había mandado a ser un gran escritor cubano.

Me hubiera gustado que Lino hubiera vivido para siempre para que pudiera escribir cosas tan cubanas, tan habaneras, como el comienzo de «Un hombre malo» y convertirlas de nuevo en universales. «Bueno», empezaba el narrador que tal vez fuera Lino mismo, «yo era chófer, como él, pero había comenzado antes, siendo más joven, con un título prestado y un fotingo de pedales, encaramado allá arriba, en el pescante, y oyendo gritar ¡paragüero! sin importarme». Swift, que murió víctima de la locura senil, en sus años de vigor literario escribió sobre los Inmortales en *Gulliver.* «Pero la cuestión no es saber si un hombre puede escoger pasar la vida a perpetuidad bajo todas las desventajas que trae la vejez consigo.»

¿Cuál es la cuestión entonces? Swift escogió otra inmortalidad como respuesta. No la del espíritu, en la que es obvio que no creía aunque fuera clérigo, sino la de la letra y escribió, entre otras cosas, ese *Gulliver* que ahora puedo citar doscientos años y pico más tarde como si Swift viviera todavía y no fuera polvo de locura y de deseo.

Lino Novás Calvo, al ser enviado a América, también escogió ese destino, aunque pareciera haber renunciado a él durante un momento de desespero ante la inatención y la inercia. Ahora vive para siempre en sus libros, y vivirá mientras sea leído. *La luna nona* es su luna eterna: siempre nueva, siempre llena, siempre sobre el horizonte oscuro. Así escribió Lino, así comenzó un cuento con la frase «¡Ese capitán Amiana!», para decir luego: «La isla no era nada vivo en sí. Una aparecida, como un muerto aparecido. Uno sentía que por debajo de ella aleteaba algo que no aleteaba, que no tenía una vida muerta, que veía las cosas con ojos diferentes». Fue ese cuento suyo que parodié en parte. Se titula, no por gusto, «Aquella noche salieron los muertos». Salen en cada lectura.

Julio de 1983

Un poeta de vuelo popular

¿Por qué Neruda llamó en sus memorias a Nicolás Guillén por el mote de Guillén *el Malo?* No era tanto una evaluación de Jorge Guillén como una devaluación de Nicolás Guillén. Neruda y Guillén militaban en el mismo partido comunista, ambos eran estalinistas de adopción y los dos disfrutaban los mismos privilegios que Louis Aragon, que de surrealista pasó a ser estalinista (no hay un solo poeta converso de los años treinta que no haya cantado a Stalin), para viajar por París en un costoso Mercedes con chófer, como lo vi en la Rue Bonaparte en el otoño de mi descontento de 1965, coleccionando viejas cartas postales y jovencitos para el doble horror de André Breton que sólo murmuraba, *«C'est dégueulasse!»*

Ni Nicolás ni Neruda eran pederastas ni coleccionistas (aunque Neruda tenía una colección de caracoles) pero eran rivales. Cada uno aspiraba a ser el Gran Poeta de América y, hoy lo sabemos, ninguno lo fue. Pero Neruda derrotó a Nicolás en la carrera sucia a Suecia: fue Neruda quien ganó el premio Nobel. Nicolás, hay que decirlo, nunca llegó a ser el gran poeta a que aspiraba. Pero cuando comenzó, equipado como pocos, parecía que iba a llegar lejos.

Los años treinta, dura década en Cuba, empezaron con los mejores auspicios para Guillén. En 1930 publicó sus *Motivos de son* basados en el son: canción y ritmo y poesía popular estaban ya en sus primeros poemas. En este año conoció a Lorca, que llegó a ser más que una influencia, un maestro del arte de la poesía popular presentada como canción culta. Poco después Guillén cesó de ser censor para el dictador Machado y escribió sus mejores poemas. Viajó a España en los comienzos de la guerra civil y el asesinato de Lorca se convirtió en una de sus obsesiones. Para exorcizarlas se afilió al Partido Comunista de Cuba, donde lo elevaron a la categoría de gran maestro. Un chusco declaró entonces que el son se había hecho sonsonete.

Pero si se lee un poema de Guillén de después de su conversión se ve cómo su arte se vuelve artesanía y su poesía deviene propaganda de partido. A veces suena como un alquilón de a diez la línea, como con su poema a Stalin (escrito durante las grandes purgas), en el que llega a emplear la santería (de la que no sabía nada) y a invocar los dioses afrocubanos como si fueran deidades dudosas:

¡Stalin, que te proteja Changó y te cuide Yemayá!

Lo curioso es que Nicolás Guillén no era estalinista. Nunca fue un *bon mourant* sino un *bon vivant* y un artista inseguro al que el comunismo le ofrecía un nicho en la noche. Lo conocí cuando tenía doce años. Es decir yo tenía doce y Nicolás cuarenta. Ocurrió en el periódico *Hoy* donde mi padre era periodista y Guillén el poeta en residencia.

Lino Novás y Montenegro dejaron el periódico y el partido, pero Guillén siguió fiel a esos diferentes aliados que van de Batista a Castro como quien compone un suave soneto. La revolución lo hizo poeta laureado y fue feliz por un tiempo. En Madrid, en 1965, sentado en un café a ver pasar las españolas como un desfile de delicias, exclamó: «¡Éste sí que es un país para asilarse!» No hay que recordar que en España gobernaba el mismo Franco que mató a Lorca y mató a Hernández, y envió al exilio lo que Agustín Lara cantó como «la crema de la intelectualidad».

Después de *Hoy,* que ahora es ayer, coincidimos en muchas partes. Una de ellas fue en la Sociedad Nuestro Tiempo, una entidad cultural que se convirtió en una organización pantalla del Partido Comunista y dejó de ser un lugar cómodo y la dejé. Allí me dijo un día, «Ya le dije a tu padre que te pareces cada día más a Gorky». Guillén no podía saber que Gorky, el autor de *La madre,* era una de mis bestias pardas, pero siempre sospeché que Nicolás no había leído ni una línea del autor que inventó el realismo socialista. Guillén sólo se interesaba en la poesía y en *su* poesía.

A fines de 1960 *Lunes,* el suplemento literario del periódico *Revolución,* que yo dirigía, invitó a Pablo Neruda a Cuba. Inmediatamente Nicolás Guillén escribió un suelto en *Hoy* en que decía que no estaba mal invitar a Neruda pero había que invitar también a «otros poetas progresistas» (es decir comunistas) como Rafael Alberti, Nazim Hikmet y al poeta chino Kuo Mo-Jo. La nota no declaraba que lo que Guillén quería era que *no* se invitara a Cuba a Neruda. Respondí con otra nota en *Lunes* en que dije que se invitaría a esos poetas y otros más* y terminaba festivo

* Algún día habrá que preguntarse por qué los poetas americanos de este siglo como Eliot y Pound y hasta un irlandés como Yeats fueron fascistas, mientras que los poetas hispanoamericanos como Neruda, Vallejo y Guillén y alguno que otro español contemporáneo escogieron ser estalinistas. Es decir, igualmente totalitarios.

el recuadro: «En cuanto a Kuo Mo-Jo ¡cómo no!» Ésta era una muletilla sonora que Guillén usó mucho en sus poemas en versos como: «Sí señor, ¡cómo no!» Ese lunes por la tarde estaba Carlos Rafael Rodríguez (entonces director del periódico *Hoy)* al teléfono diciéndome: «¿Pero por qué haces esas cosas, Guillermito? Tú sabes lo sensible que es Nicolás. Se ha pasado una hora quejándose por teléfono por tu parodia». Guillén de veras era así.

Con Neruda en La Habana ocurrió un episodio que resultó cómico, aunque no fue nada cómodo para Neruda. Dio recitales con su voz plañidera y se reunió con todo el equipo de *Lunes* y todavía con su voz plañidera respondió a una pregunta sobre la revolución y el arte con un «También hay que cantarle a la luna», que fue una declaración valiente frente a los realistas socialistas ya rampantes. Pero un mediodía cuando se había planeado extender su estancia triunfal en una gira y tal vez ir a Santiago con la morena cabeza de Matilde, lo traje de vuelta al hotel Riviera, donde se hospedaba, de un viaje a La Habana Vieja, y al bajarse miró al Malecón y me preguntó: «¿Qué cosa es eso?» Era una barricada y le dije: «Es una barricada». «Pero, ¿por qué están los cañones todos apuntando hacia el mar?» «Es que se espera una invasión.» «¿Por aquí?» «Por todas partes.» Neruda, que tenía una cara impasible que iba muy bien con su voz monótona, no pudo impedir palidecer hasta los dientes. No dijo más y subió a su habitación. Pero por la tarde pidió acortar su estadía cubana «ya que tenía pendientes asuntos urgentes en México». ¿Coincidencias? Tal vez. Pero Guillén, cuatro meses más tarde, escribió un poema desgarrado sobre la muerte de un miliciano, mientras Neruda, sano y salvo, compuso su *Canción de gesta,* exaltando a Fidel Castro en la Sierra, que es uno de sus peores poemas. De cierta manera Guillén *el Malo* quedó vindicado.

En 1961 en la fiesta de clausura del Primer Congreso de Escritores y Artistas de Cuba, del que Nicolás Guillén había sido electo presidente (yo era, cómico cargo, uno de los siete vicepresidentes que rodeaban a Nicolás como una versión cubana de Blancanieves), le presenté a una editora americana que exclamó en éxtasis: «¡Ah, el gran poeta negro!» Para ser atajada enseguida por Guillén: «Negro no, mulato». La señora americana quedó corregida.

Será hacer de la pasa (pelo de negro según el Diccionario de la Real) cabello pero la diferencia entre negros y mulatos la establecieron españoles y portugueses muy temprano en la historia de América, donde una esclava embarazada por un blanco (el sexo no distingue los colores) quedaba libre en el momento del parto. En el siglo XIX hubo muchos mulatos distinguidos en Cuba (y en Brasil: no hay más que nombrar a Machado de Assís), aunque el país estuviera gobernado por españoles y los cubanos blancos (los que se llamaban a sí mismos criollos: hijos de blancos) descansaban su ocio y su negocio sobre negros esclavos. En el siglo XX Nicolás Guillén era uno de los dos mulatos mejor conocidos en la isla. El otro mulato era Fulgencio Batista. Uno famoso, el otro infame.

Guillén vivió en París de 1952 a 1959, según dicen, porque Batista (curiosamente Nicolás se llamaba Guillén Batista) no le permitía regresar a Cuba. Pero durante esa época era muy popular en la radio y la televisión cubanas. Eliseo Grenet, autor de «Mamá Inés», le había puesto música a más de un poema suyo, Bola de Nieve cantaba canciones con letra de Guillén y hasta un recitador popular, Luis Carbonell («El acuarelista de la poesía antillana»), recitaba sus versos (y su anverso) en el teatro, la radio y la televisión. Nunca, al nivel de la calle, había sido Guillén más difundido.

De su época de París, Guillén me contó una anécdota que Neruda, por ejemplo, nunca habría contado. Estaba Nicolás sentado en la terraza del Deux Magots cuando oyó una conversación (su francés era perfecto) que le atañía. Dos voces de mujer hablaban de él al parecer. Se volvió de perfil y vio a dos muchachas que le parecieron bellas, inteligentes, perfectas en una palabra. Detuvieron su conversación, discretas: no había duda ahora de qué hablaban. Siguieron hablando, comentando su abundante cabellera (de poeta), su perfil, su cabeza leonina. Guillén se levantó para establecer una cabeza de playa. Pero antes de terminar su ademán una frase de una de ellas enfrió su ardor: «¡Pero si es un enano!» Guillén se permitía estas revelaciones pero nunca las habría permitido de venir de otra persona.

Cuando Guillén regresó a Cuba en 1959 (venía del extranjero mientras Fidel Castro bajaba de las alturas) no era tan popular como John Lennon cuando se declaró más popular que Cristo, pero sí era más popular que el Che Guevara. Pero, por supuesto, sólo un hombre es libre en Cuba y cuando nombraron a Guillén presidente de la recién creada Unión de Escritores pronto cayó ante la mirilla de Fidel Castro. Al visitar la universidad el Premier Estudiante, en uno de sus impromptus de líder universitario, se convirtió, gárrulo, en crítico de las artes y las letras. Alabó a Alejo Carpentier por su novela *El siglo de las luces,* demostrando de paso que no la había leído, pues pocos libros hay más contrarrevolucionarios, aunque el blanco de Carpentier fuese la Revolución francesa. Castro dijo que no había escritor más trabajador, más prestigioso. Cuando uno de los estudiantes le preguntó por Guillén, el Máximo Líder tronó: «¡Ése es un haragán! No escribe más que un poema al año. Es probablemente el poeta mejor pagado del mundo y nos sale caro». Luego elogió a un poetastro que se hacía llamar el Indio Naborí que escribía un poema cada día para el *Granma,* la gaceta oficial. Naborí no era poeta ni indio pero a Castro le gustaban sus rimas de hoz y martirio. Naborí casi fue nombrado poeta oficial: el indio laureado por decreto.

De pronto, como en un linchamiento poético, se organizó una turba política. Algunos estudiantes pintaron pancartas y dirigidos por Rebellón, antiguo líder estudiantil y ahora bufón oficial con título (solía sentarse a los pies de Castro), organizaron un orfeón famoso, cantando a la manera de Guillén:

¡Nicolás, tú no trabaja ma!
¡Nicolás, no ere poeta ni na!

La manifestación bajó por la colina universitaria a la calle en que vivía Guillén (no lejos pero sí alto: en un piso 17) cantando y gritando. Se podía creer que era una broma estudiantil, pero la presencia de Rebellón le daba al motín carácter castrista. Guillén, por supuesto, lo tomó todo a pecho. Era el castigo sin crimen. Guillén era un poeta no un rimador de poemas por metro.

En junio de 1965 regresé a La Habana de mi puesto diplomático en Bruselas a los funerales de mi madre.

Días después del entierro fui a la Unión de Escritores a saludar a Guillén. Habíamos estado juntos en París apenas un mes atrás, además siempre me cayó bien Guillén: era muy cubano, muy humano, aunque a él le molestaban mis rimas contiguas. La Unión de Escritores estaba en una casona colonial, casi un castillo, dejado detrás por un magnate en fuga que ni siquiera se molestó en cerrar la puerta. Guillén estaba en su oficina hablando con una rubia espléndida: a Nicolás siempre le gustaron las rubias. Enseguida se excusó por no haber estado en el entierro conmigo pero, coincidencia fatal, su madre había muerto también en Camagüey (su ciudad natal) y tuvo que ir allá al instante. Guillén amaba a su madre tanto como yo a la mía.

Luego en un susurro que pensé que formaba parte del pésame me pidió que lo acompañara al patio. Allí, debajo de un enorme árbol del mango, me preguntó, todavía en un susurro, si sabía lo ocurrido. Otro susurro como un suspiro: en Cuba hasta las rubias tienen oído (y odio) y quién sabe si crecen micrófonos en los árboles. Le dije, apenado, que no sabía nada. Nicolás estaba al borde de las lágrimas cuando me contó lo que ya les he contado.

«¡El hijo de puta mandó una turba contra mí, a mi casa!»

No dijo quién era el hijo de puta pero se sobreentendía: de seguro que no era Rebellón.

«Le gritaron a mi mujer, tan nerviosa, que yo era un haragán que no trabaja ya. Todo esto dicho a Rosa porque yo no estaba. ¡Ese hijo de puta que no ha trabajado un día en su vida, hijo de papá y luego matón profesional, se atrevió a llamarme vago! ¿Sabes una cosa? Un día te va a enviar esa turba a tu casa y te van a linchar porque eres más joven que yo. ¿Quieres que te diga otra cosa? Es peor que Stalin, te lo digo yo. Porque Stalin se murió hace años pero este gángster nos va a sobrevivir. A ti y a mí.»

El viejo poeta tenía razón, parcialmente. Guillén murió la semana pasada y Fidel Castro lo enterró con honores.

Pero Guillén, aún bajo el frondoso mango, furioso pero muerto de miedo, era un poeta. Capaz de fundir los metros medievales con un asunto moderno y coloquial, sabía de poesía clásica española como nadie en América, excepto tal vez Rubén Darío, el indio que tenía el verso blanco. Pero al revés de los poetas negros del Caribe, Guillén nunca llegó a donde debía haber llegado, aunque fue en su día mejor poeta que Derek Walcott, de Santa Lucía y Aimé Cesaire, de la Martinica. Como Louis Aragon, Guillén se hizo comunista cuando estaba en la cumbre. Después de eso, después de *Motivos de son, Sóngoro cosongo* y *El son entero* todo fue descenso. Aunque fue famoso en el mundo de habla española y aun en París y Nueva York y nominado dos veces para el premio Nobel, después de tantos honores en la cima, se vino abajo. Lo trágico es que Guillén, al final de su larga vida, lo sabía.

Obsesionado por la posteridad y la dama del camino en su poema:

Iba yo por un camino
cuando con la muerte di

su libro de cabecera era un horror llamado *La enciclopedia de la muerte.* Me leyó, en fecha tan temprana como 1962, un pasaje que trataba sobre lo que pasa después de la muerte del cuerpo, con gusanos y todo y no todos contrarrevolucionarios. «Lee», me aconsejaba, «lo que dice ahí del *rigor mortis* y el inicio de la putrefacción». No era el poeta Pope sino Poe. «Pero», resumía pensando tal vez en M. Valdemar, «al revés del hombre, la poesía nunca se corrompe». Las palabras son suyas, la ambigüedad mía.

Nicolás Guillén ha tenido ahora funerales marxistas (o marciales), llevando en hombros cuatro soldados de luto el cadáver del poeta que escribió:

No sé por qué piensas tú,
soldado que te odio yo.

Sus despojos fueron expuestos en el Panteón de los Héroes y Mártires de la Patria, como caben a las honras fúnebres al Poeta Nacional. Además se declararon dos días de luto oficial. Pero estoy seguro de que el día que Fidel Castro lo llamó vago y haragán (en público) todavía escuece su memoria. Nicolás Guillén era lo que Faulkner llamó en *Intruso en el polvo,* a propósito de su protagonista Lucas Beauchamp, «un negro orgulloso». Aunque Nicolás me enmendará la plana desde el más allá y dirá con su voz grave: «Orgulloso sí pero no negro. Todavía soy mulato».

Julio de 1989

Carpentier, cubano a la cañona

Fue al difunto Ithiel León, músico, publicista y, en su penúltima encarnación, director en activo del periódico *Revolución,* a quien oí por primera vez referirse al acento francés de Alejo Carpentier como un valor añadido. «Alejo debe impresionar mucho a los venezolanos», dijo Ithiel, «con esas erres suyas». Ocurrió al principio de los años cincuenta cuando Carpentier vino de visita a su nativa Habana desde su adoptiva Caracas.

Por esa época Carpentier debió adoptar también la nacionalidad venezolana, ya que vivía, trabajaba y escribía en Caracas. Inclusive su editor americano lo daba, en una de sus solapas, como venezolano. No es extraño porque era en Venezuela codueño de una firma publicitaria, además de jerarca cultural, que no había podido serlo nunca en Cuba, y sus actividades se extendían hasta organizarle eventos artísticos al dictador Cerdito Pérez. No volvió a ser tan importante hasta que se hizo acólito de Fidel Castro en los años sesenta, primero como consejero cultural, luego de director de la Imprenta Nacional («el zar del libro», lo apodó un periodista en fuga) y finalmente fue enviado oficial a Francia hasta que murió en París, la ciudad de sus sueños, y sus pesadillas.

Fue durante una de sus pesadillas (culpa del hambre más que del hombre) que Lydia Cabrera conoció a Carpentier en 1932. Un día le pregunté a Lydia si ya Alejo hablaba así, con sus *egres* agresivas. Lydia me dijo que siempre habló así. ¿No era verdad entonces lo que había oído Rogelio París, el director de cine, cuando era productor de un programa de televisión patrocinado por el Consejo de Cultura que Alejo dirigía? París, a quien Carpentier siempre llamaba Pagrís me contó que durante un ensayo del programa, un costoso ciclorama se vino abajo y se abrió en dos. Un Alejo asombrado ante el asombro de todos soltó un carajo bien audible. París concluyó: «El hombrín no dijo *cagrajo* sino bien claro car-ajo. Perdió su erre al perder la tabla». Lydia, que detestaba a Carpentier (aunque no tanto como Lezama), siempre lo llamó *Alexis.* (Más, más tarde.)

Conocí a Carpentier, que se convirtió enseguida en Alejo, en 1958. Vino a *Carteles* introducido por sus mejores promotores, Luis Gómez Wanguemert, que a pesar de su apellido era tan habanero como las columnas de la ciudad que fascinaban a Alejo, que era jefe de información, y Sara Hernández Catá, verdadera amazona cultural que habiendo perdido un pulmón al cáncer todavía fumaba cigarrillo tras cigarrillo, todos embutidos en una boquilla que ella aseguraba que permitía, por alquimia, eliminar el alquitrán y dejar el humo limpio como una neblina mañanera. Carpentier venía más que nada a hacer publicidad a la venta de su reciente novela, *Los pasos perdidos,* al cine, concretamente a Tyrone Power. Traía una foto del autor con el actor para probarlo. Lo único asombroso de aquel dúo dudoso era que Carpentier era mucho más alto que Power. Alejo, un hombre sólido de aspecto con su nariz de pegote y sus ojos saltones, recordaba a Donald McBride, un actor secundario de los años treinta. Pero si uno quería que se pareciera a alguien prominente entonces el parecido era con J. Edgar Hoover, de frente y de perfil. Al regresar a Cuba un año más tarde lo primero que hizo Alejo fue reclamar la instantánea que me dio para publicar.

Recuerdo que fuimos al café de la esquina, acompañados por Sergio Rigol, que era el bibliotecario de *Carteles,* una revista que se permitía esos lujos, y Rine Leal, crítico teatral reducido entonces a una versión de Modesto Rizos, el reportero estrella. Todavía tengo una fotografía que tomó Raúl Corrales, también llamado Raoul, en que se nos ve todos jóvenes, todos sonrientes y Alejo aparece complacido de nuestra recepción a una de sus innúmeras anécdotas. Carpentier, que estaba al tanto de todo lo que se publicaba en París, nos habló de la novela más divertida que había leído en mucho, mucho tiempo, *Zazie dans le Métro,* de Raymond Queneau. Todos los nombres franceses salieron perfectos de su boca. Al contar las aventuras de Zazie de 8 años y las desventuras de su tío Gabriel, un transformista, nos citó la primera línea. «Doukipudonktan» dijo Alejo y al vernos a los tres con tres bocas abiertas, tradujo: «Es argot de París. Quiere decir ¿por qué apestan tanto los franceses», ¡ah! ¡ahá! ¡ahahahá! Le dije que recordaba a una novela americana llamada *Lolita.* «¿De quién es?» El autor es un ruso exilado llamado Nabokov. «No lo conozco.» Es muy divertida. Salió en París en inglés. La compré en la Casa Belga, donde me la vendieron como pura pornografía. Ah Alejo. Pareció incómodo. «En realidad», nos dijo, «de *Zazie* he leído los fragmentos que publicó la *Nouvelle Revue Française.* Muy divertidos». Era extraño porque Carpentier era lo más alejado de Raymond Queneau posible. Debió ser porque era un libro francés.

Siguió contando aventuras entre políticos cubanos en *terra firma.* Aunque un periodista siempre simula no tener trabajo y además *Carteles* era un semanario, todos teníamos que irnos. Carpentier se despidió. Alejo, aléjate. No lo volví a ver hasta que regresó a Cuba, a instalarse, cuando Fidel Castro, no la revolución, parecía firme. Parecía eterno.

Carpentier aparentemente nació en La Habana en 1904, pero hasta sus más fervorosos exégetas admiten que la única biografía (incompleta de Alejo) está escrita por él mismo. Carpentier según Carpentier es hijo de un francés y una rusa que emigraron a Cuba, a La Habana, en 1902. Pero Carpentier mismo dice: «Debo explicar que me crié en el campo cubano», es decir no en La Habana, «en contacto con campesinos negros y sus canciones». La narración de Heberto Padilla, que describe a Carpentier como lechero en Alquízar, no es tan inverosímil. Pero parece más bien que Carpentier creció en la provincia de Oriente, tal vez al sur de Alto Songo, donde abundan, en contraste con la provincia de La Habana, los labriegos negros.

No en balde uno de sus biógrafos, Roberto González Echevarría, anota que «hay poca información acerca de la vida de Carpentier», para acusar lo verdaderamente significativo: «Mucha de ella dada por Carpentier mismo». Así, Alejo «pasó más de veinte años de su edad adulta en Francia», mientras que estudió «de 1912 hasta cerca de 1921» en un liceo francés. «En 1939», continúa Echevarría, «Carpentier regresó a La Habana después de pasar once años en París. Tenía entonces treinta y cinco años». La cronología se alarga y se encoge como banda elástica.

Todavía más: al llegar a Caracas de La Habana en 1945, Carpentier es entrevistado por un periodista y el biógrafo repara que Alejo le hablaba al entrevistador como si «Carpentier acabara de llegar de Europa», para saltarse de un golpe los seis años que acababa de pasar en la tierra natal. Cuba, no Francia.

Un accidente relevante en la vida de Carpentier (sus cuatro meses en la cárcel por oponerse al dictador Machado —unos machadistas dicen que fueron cuarenta días, otros que sólo fueron cuatro— ocurrió en 1928, pero nadie dice cuál fue la acción antimachadista que llevó a cabo Carpentier) terminó con su exilio en Francia, de la que había regresado hacía sólo seis años. Carpentier mismo cuenta cómo burló a la policía de Machado al cambiar pasaportes con el poeta francés Robert Desnos, de visita en La Habana. Nadie cuenta tampoco con qué documento viajó de regreso a Francia el generoso Desnos. ¿Usó el pasaporte incriminante de Carpentier? ¿Se hizo un nuevo pasaporte francés en La Habana, para confusión a bordo de dos pasajeros distintos con un mismo pasaporte? ¿O viajó Desnos, siempre aventurero, de incógnito, amigo de usar seudónimos hasta que murió en un campo de concentración?

Carpentier, siempre en fuga, regresó a Cuba huyendo de los nazis en 1939. El mismo año en que su protector Desnos se embarcaba en su última aventura, en la que los documentos falsos no lo salvaron de la cierta muerte. Aquí es necesario hacer notar que Carpentier regresó a Cuba bajo el gobierno del todavía dictador Batista, que vivió en La Habana el período en que un Batista barnizado de legalidad gobernó con ayuda de los comunistas, para irse a Venezuela en cuanto hubo en Cuba un gobierno demócrata continuado. (De 1944 a 1952, presididos por el doctor Ramón Grau San Martín, campeón del *laissez faire* y el corrompido pero no menos demócrata Carlos Prío.) No terminaría la década sin que Carpentier sirviera a otro dictador, Pérez Jiménez, en Venezuela. La conexión de Carpentier con la cultura bajo una dictadura había comenzado cuando fue a Haití en 1943 como agregado cultural del gobierno cubano. Carpentier cuenta, sin sonrojo, este título y esta expedición, para recalcar que viajó con el actor francés Louis Jouvet. Pero se olvida mencionar que en el grupo, o en la *troupe,* viajaba un surrealista menor llamado Pierre Mabile, un hombre más decisivo en la vida de Carpentier que el actor Jouvet.

Tontos y pícaros coinciden siempre en la desinformación. Así se repite ahora en todas partes que Carpentier «creó el realismo mágico». No saben (o se olvidan) que esta etiqueta fue fabricada por un alemán llamado Franz Roh en 1924, cuando Carpentier acababa de salir del bachillerato en La Habana o de un *lycée* francés y quería ser arquitecto porque sabía que la arquitectura es música congelada o letras de ladrillos, lo que se quiera creer mejor. Roh, curiosamente, regaló su membrete a artistas menores y mediocres que terminaron siendo cultivadores del realismo nacional-socialista, nazi para abreviar. Lo que Carpentier creó (con un poco de ayuda de su amigo Mabile) fue otra etiqueta, «lo real maravilloso», que le sirvió sólo para una novela breve, *El reino de este mundo.* Después se olvidó de la cocción como eliminó la receta de los prólogos ahora invisibles de sus ediciones francesa y americana. No ya el realismo mágico sino siquiera lo real maravilloso pertenecen a Carpentier. No son de su invención sino de Roh y de Mabile. Carpentier fue siempre un buen adaptador desde sus días de la radio francesa hasta la CMZ, emisora del Ministerio de Educación en La Habana en los primeros años cuarenta. Curiosamente la CMZ tenía su sede dentro del campamento militar de Columbia.

Una de las razones por que Carpentier caía mal en Cuba es que era un pesado. Sin sentido del humor, toda su conversación estaba cundida de anécdotas y cuentos aparentemente cómicos que su modo de contar hacía pesados. Pero a mí, personalmente, me caía bien Alejo. Era un hombre cauto hasta la cobardía y desconfiado hasta la soledad. Pero, de veras, me caía bien. Una vez, en un cóctel cultural en la Barra Arrechabala, hermoso edificio colonial de la plaza de la Catedral, estuvimos solos un momento. Ocurrió en 1960 y ya estaba instalado en Cuba para siempre. Fue entonces que se me ocurrió preguntarle por Miguel Otero Silva como escritor. Carpentier miró por encima de un hombro, después del otro como si esperara furibundos fanáticos de Otero para decirme, finalmente, la voz bien baja: «Es muy malo». Otero Silva, dueño del diario caraqueño *El nacional,* varias veces millonario, podría haber sido un hombre poderoso en Caracas, pero en La Habana era más importante Lisandro Otero (entonces joven aprendiz de comisario). ¿Se referiría Alejo, con tanta cautela, al otro Otero?

Carpentier había venido de Caracas a La Habana, mediado el año 59, con una curiosa variante tropical de una editora capitalista: una feria del libro ambulante. En compañía de Manuel Scorza, escritor peruano, era editor y vendedor. Carpentier, que temía sobre todo la crítica de

Lunes, se asombró cuando Calvert Casey hizo un elogio elegíaco de una de las novelas que editaba, *Las impuras* de Miguel de Carrión. No sé si se asombró también de la buena acogida que le dio Carlos Franqui en el periódico *Revolución,* al principio, pero sí recuerdo que fue oportuna y necesaria a Carpentier. Como Alicia Alonso, Carpentier no vino muy bien recomendado por la misión del Movimiento 26 de Julio en Venezuela. Ambos se habían distanciado violenta, voluntariamente de los exilados cubanos y Madame Alonso, que había gozado las subvenciones del Gobierno de Batista, se permitió decir en Caracas que ella era una bailarina y no se metía nunca en política. El desagrado contra Carpentier no tuvo el carácter público del rechazo a la Alonso (llamada luego por sus afinidades comunistas, *La Alonsova),* que fue blanco de un repudio que dura todavía. Pero terminó oficialmente cuando bailó en punta y con tutús al son de *La Internacional,* apenas dos años más tarde. Sí recuerdo cómo Carpentier, según aumentaban las presiones oficiales contra *Revolución,* se fue alejando del periódico hasta ese momento bochornoso en que declaró, como Fidel Castro, al unísono con Fidel Castro, que siempre había sido comunista. Fue premiado en Cuba varias veces, pero nunca obtuvo el premio Nobel que ansiaba, la verdadera causa de su regreso de una Caracas democrática en que nunca le perdonaron su alianza con otro caudillo acogedor.

Cuando regresé a La Habana en 1965 fui a visitar a Carpentier a su flamante oficina en la dirección de la Imprenta Nacional. El despacho estaba refrigerado como pocos y era agradable, acogedor. Alejo siempre tuvo gusto para la decoración interior y para el exterior de sus mujeres. La última, Lilia, era aún en su edad media una belleza bruna. Hija de un aristócrata negro y de una blanca, los viejos habaneros contaban que nunca le permitieron entrar en sociedad. Ésta era la causa no sólo de la ida hecha huida de ambos a Venezuela, sino de su odio por la alta burguesía habanera y la adicción a los destructores de la que debió ser su sociedad. A Lilia la vi sólo una vez la última vez a la entrada de un cine cerca de la casa de mi padre y se veía de veras radiante en la noche habanera.

Carpentier, ahora en su papel de impresor, me abrumó con una larga lista de publicaciones y una cantidad tal de ediciones, con un detallismo que traicionaba al escritor escondido detrás no de su escritorio sino de su buró. No quise hacerle un Baragaño y preguntarle por qué no se editaba ninguno de los textos canónicos del surrealismo. Terminó mostrándome, con orgullo de artista plástico, un grabado que tenía en la pared a su diestra. Representaba una escena romántica *d'après* Gericault. Se veía una balsa a la deriva en que náufragos desesperados combatían contra un exceso de tiburones que rodeaban feroces la frágil embarcación. Carpentier, complacido, se ufanaba:

«Pogresupuesto te has dado cuenta de lo que hay al fondo.»

Miré bien y vi ¡el Castillo del Morro! El naufragio tenía lugar en aguas de La Habana. Pasmado le dije:

«Casi se ve el Malecón.»

«Casi. Es un grabado gromántico y ocugre frente al Malecón. No en el tiempo pero sí en el espacio.»

Carpentier estaba eufórico por su hallazgo. Nos despedimos. Cuando lo vi más tarde entrando al cine Riviera no parecía tan alegre. Me habló de la historia absurda de una maleta que había dejado en Madrid a cargo de mi hermano, nunca recobrada.

«No contiene más que unas camisas usadas. Sin importancia», explicó.

Sin embargo parecía un asunto serio. Nunca entendí por qué Carpentier, el hombre que le confió a un amigo cubano que tenía fuertes ahorros de sus días venezolanos en una cuenta numerada de un banco suizo, se afanaba. ¿Por qué una mera maleta con ropa vieja le apremiaba? Las camisas no le hubieran servido nunca a mi hermano, ya que Alejo era un hombre grande.

«Grande no», me corrigió Lydia Cabrera cuando años después en Miami le hice el cuento de la maleta perdida que le urgía como si estuviera llena de dólares: era el final de *The Killing.* «Alexis no es grande, no es más que alto.»

Mencioné hace un momento a Baragaño como su némesis pública. Pero había otra némesis en *Lunes circa* 1960: Heberto Padilla. El poeta surrealista José Álvarez Baragaño nunca perdonó a Alejo su prólogo a *El reino de este mundo.* Carpentier maltrató a los dioses tutelares de Baragaño, el Conde de Lautréamont y André Breton, y, crimen de crímenes, al surrealismo. Padilla, que nunca fue surrealista, escribió después de la muerte de Carpentier una versión de la vida de Alejo que era descacharrante en su chacota constante. En la biografía, breve pero punzante, Padilla describía a Alejo como nacido y criado en Alquízar. A la fuga de su padre francés (que ocurrió de verdad), Alejo, montado en un burro, repartía la leche de la vaca que ordeñaba su madre rusa. Padilla no volvió a publicar esa vida de un héroe literario en sus memorias.

Cuando murió Baragaño en 1962, su viuda se empeñó en darle a un ateo una misa breve en el mismo cementerio de Colón. Estaba en la capilla reducida medio *Lunes,* a pesar de que Baragaño nos había traicionado cuando el Caso *P.M.* También vino Carpentier. Tarde pero vino. Se acercó al féretro y musitó no un réquiem sino un aire de alivio: «¡Uno menos!», fue lo que dijo. Pero al ver a Padilla entrar en la capilla exclamó: «¡Todavía me queda otro!»

Por el camino, a través del cementerio barroco hasta la tumba abierta, Padilla tomó venganza. Caminando junto a Alejo al paso lento del cortejo, «Alejo» decía querer saber Padilla, «¿qué pasa con tu novelita? ¿La vamos a leer en Cuba? Va a resultar el último lugar en que la publicas». Carpentier no respondió pero Padilla siguió como si nada. «Esa novelita, Alejo, te va a perder. Deja que la lea Fidel.»

Pero se equivocó Padilla, se equivocaba. La novelita era un novelón, *El siglo de las luces,* y fue exaltada por Fidel Castro y Raúl Castro la declaró lectura obligada de la oficialidad del ejército. «Ninguno de los dos la leyó», aseguraba Franqui. «De haberlo hecho se hubieran dado cuenta de que era profundamente contrarrevolucionaria.» El debate sigue abierto aunque no puedo opinar: no leí nunca *El siglo de las luces.* Me rechazó la misma enumeración exhaustiva que me lanzó a parodiarla. Sé, sin embargo, que a Alejo lo acosó mi parodia y se vio náufrago en una balsa literaria, amenazado por un solo tiburón lejos del Morro.

Después del encuentro a la entrada del cine y su queja de la maleta perdida, que parecía pertenecer a un cuento de Gógol, no vi más a Alejo. Pero supe de él por persona interpuesta: el escritor Juan Arcocha, que era agregado de prensa en la embajada cubana en París. Tenía por embajador un falso doctor Carrillo, médico que nunca había ejercido la medicina pero sí el oportunismo político. Cómo había llegado a embajador en Francia es un capítulo de la oportuna picaresca revolucionaria.

Pero la embajada cubana en París tenía lo que en Cuba se llama ñeque, en Venezuela pava y en España gafe. El primer embajador castrista, el distraído profesor Gran, eminente físico pero ingenuo político, se vio envuelto en el conato de traición de Roberto Retamar, entonces agregado cultural. Gran se negó a reportarlo a su ministerio, el matemático lo opuesto del médico y tuvo que regresar a La Habana. Sucedió a Gran el músico Gramatges, viejo amigo, y durante años miembro oculto del Partido. Harold, como todos le llamábamos, había salido de su closet comunista en el mes de enero de 1959, como presidente de la sociedad cultural Nuestro Tiempo, cuando invitó al Che Guevara a dar una charla lamentable sobre el realismo socialista, el argentino equivocado entonces como en tantas otras cosas en Cuba, luego. Gracias al Che, Gramatges hizo amistad con Raúl Castro, siempre fascinado por el marxismo, que lo nombró embajador en Francia. Fui huésped de Harold en París cuando no era todavía embajador y después muchas otras veces.

En una ocasión noté que la embajada había cambiado de recepcionista y abría la puerta, en lugar de la hermosa habanera de antes, una vieja seca y desagradable. Cuando le pregunté a Harold por la mujer que abría la puerta, me dijo: «¿Tú sabes quién es?» No lo sabía. «Caridad Mercader» y no tuvo que decirme que era la madre de Ramón Mercader, el asesino de Trotsky, a quien todos los historiadores daban como la única influencia de veras importante en su hijo. Harold, que era un discreto sexual, era un indiscreto malicioso. Me contó divertido cómo venían trotskistas ingleses y alemanes a buscar su visa cubana y ninguno siquiera sospechaba que quien le abría la puerta era la autora intelectual del asesinato de Trotsky. «Cachita», como la llamaba Harold, «es más estalinista que Stalin». Ahora quizá descansa en el infierno del cementerio de Colón en La Habana junto a su hijo, que vivió y fue enterrado en Cuba. Ambos magnicidas eran, en efecto, cubanos de nacimiento. «Cachita», como su nombre indica, era de Santiago de Cuba —de donde es también Harold Gramatges— en esa provincia de Oriente donde nacieron Batista y Fidel Castro.

Carpentier era en Europa bien diferente (y deferente) de la figura casi cómica que resultaba en Cuba. Lo vi en París en el invierno de 1962, cuando salió mi *Dans la paix comme dans la guerre* publicado en Francia. Gallimard (o más bien Roger Caillois, el legendario editor de la colección La Croix du Sud) me dio un cóctel en los salones de la editorial. Alejo Carpentier y Miguel Ángel Asturias fueron invitados de honor y con sus respectivas humanidades masivas casi parecían dos guardaespaldas sudamericanos a mi lado. Lilia rutilaba. Volví a ver a Carpentier en Bruselas por donde pasó rumbo a París después de dar unas charlas en francés en Estocolmo en 1963. Eufórico por la acogida que tuvo en Suecia, Carpentier me confesó que le habían asegurado allá que el próximo premio Nobel era suyo. Cuando visité a Roger Caillois en su oficina de la Unesco, le conté que Carpentier creía el premio suyo seguro ese año, o el siguiente. Con calmada insistencia Caillois me dijo: «No se lo darán nunca. *Nunca.* Lo peor que hizo Alejo fue ir a Suecia. En Estocolmo consideran estas visitas de candidatos una politiquería intolerable». Ocurrió así, como sabemos. De esta entrevista recuerdo que Caillois hablaba el español con un acento francés muy parecido al de Alejo.

Una de las manifestaciones más ridículas del acento de Alejo ocurría cuando se hacía todo francés en La Habana. Carpentier, como cualquier *salonnier* de las provincias, daba reuniones en su casa cada sábado, y allí no se hablaba más que francés. Nunca fui a ellas pero Sergio Rigol, que sí iba, me comentó que no estaba prohibido hablar español, pero no era bien oído. Se me olvidó preguntarle, y ahora es tarde, cómo era el francés de Lilia. Rigol me contó que en una de las últimas reuniones a que asistió, Carpentier celebró, supongo que con *champagne grand crue,* la caída de *Lunes* y de todos los Ícaros que quisieron volar más alto que sus plumas permitían. Éramos y no lo sabíamos, según Alejo, *d'appellation controlée.*

Pero había gente importante que no creía que Carpentier daba risa. Al contrario, lo tomaban muy en serio, pero con reservas. Uno era Juan Marinello, la máxima figura intelectual de los viejos comunistas. Otra Carlos Rafael Rodríguez, ya considerado el tercer hombre del régimen a mediados de los años sesenta. Tarde en la noche del 2 de octubre de 1965 fui con el comandante Alberto Mora a visitar a Carlos Rafael en su oficina del antiguo *Diario de la Marina.* Gracias a Alberto y, sobre todo, a Carlos Rafael podría irme de Cuba al día siguiente. Los dos, creo, sabían que para siempre o hasta que cayera Castro: lo que viniera primero.

Carlos Rafael me saludó con su afecto de siempre. Era de los viejos comunistas que me conocieron en el periódico *Hoy,* cuando era niño. Todavía me llamaba Guillermito, el hijo del veterano redactor de *Hoy* Guillermo Cabrera. Hablamos de lo que siempre había hablado con Carlos Rafael, inclusive cuando fue finalmente director de *Hoy* años atrás, de cultura. La conversación, cosa curiosa, cayó en Carpentier.

«¿Has visto la última entrega de la novela de Alejo?»

«*¿El año 59?* La vi en *Bohemia* pero no la leí.»

«Es la segunda entrega», me dijo Carlos Rafael, «pero es peor que la primera».

Lo dejé hablar: no sólo deferente sino también curioso.

«Alejo es un escritor interesante pero me gustaría que fuera menos barroco. Es, por supuesto, un valor nuestro, pero Alejo no entiende la Revolución. ¡Te imaginas que llama a los barbudos los *barbados!*». «Estás, claro, entre ellos.»

Carlos Rafael se había dejado crecer barba y bigote desde que subió a la Sierra en 1958, pero su barba era una perilla que lo acercaba, sin saberlo, más a Trotsky que a Stalin, de quien había sido y era devoto.

«¡Imagínate! Pero hablando en serio, me preocupa Alejo. No sé adónde va a parar con su novela, pero no quiero que se nos convierta en un problema más político que literario. Lo menos que queremos nosotros», y parecía incluir no sólo a las autoridades sino a Alberto y a mí, «es otro caso Pasternak».

Me sorprendió entonces y ahora que Carlos Rafael pudiera creer que Alejo, tan timorato, fuera a originar una disidencia. Pero tal vez creyera que también Pasternak era un hombre tímido. Luego pensé que Carlos Rafael, con sutileza, no hablaba de Alejo sino de mí. Así fue que creí que, cuando nos despedimos, en vez de hasta luego me dijera: «Sálvate». Pero sé que si la noche tiene mil ojos y mil oídos, también tiene mil labios y dice cosas que la mañana desmiente. En todo caso la conversación fue memorable y para no olvidarla la anoté en una hoja de un libro que luego se quedó en Cuba.

Antes de irse de Cuba en 1945 Carpentier completó en La Habana un libro realmente notable: el mejor y más completo estudio de la música en Cuba. Se llama con tautología *La música en Cuba.* Carpentier completa un círculo de música desde los albores de la nación hasta 1945 (ayudado por Natalio Galán, el músico que copió todas las partituras y a quien Carpentier debe más de un hallazgo) en que desarrolla su tema que es irrebatible. Cuba, pobre en artes plásticas, mediocre en arquitectura y balbuceante en teatro, se hace un pueblo realizado en su música. Lamentablemente Carpentier se limita a la música seria (que luego sería serial) y cubre sólo en un apéndice supurado la música popular, la verdadera gran creación cubana. Aunque Alejo consigue ciertas *trouvailles* (nombre que le gustaría más) al describir la vida musical habanera del siglo XIX, de veras brillante, se equivoca en las más simples notas de la música popular. Llega incluso a confundir una manera de bailar (el *bote,* que fue efímero por fortuna) con un ritmo nuevo, que nunca fue nuevo porque nunca nació. En su despedida de Cuba fue sin embargo mucho más afortunado que en su llegada a Caracas con el servicio que prestó enseguida a un tirano en escala menor.

Carpentier colaboró con un tirano mayor, Fidel Castro, en un juego de simulaciones: Carpentier no era ni nunca había sido revolucionario, Castro no era ni nunca había sido comunista. Alejo fue obediente y hasta sumiso en el Consejo Nacional de Cultura, en la Unión de Escritores (de la que era vicepresidente vitalicio), en la Imprenta Nacional y último hasta lo último en la embajada de Cuba en París. Antes fue un correo del zar.

Ocurrió cuando Mario Vargas Llosa ganó en 1967 el premio venezolano de novela Rómulo Gallegos. Mario se dejó chantajear por otro tránsfuga, Edmundo Desnoes, de oportuna visita en Londres. Desnoes convenció a Mario para que redactara un cable, transmitido por la agencia cubana de noticias Prensa Latina, pero dirigido a molestar a los gobernantes venezolanos, enfrascados en una guerra cruenta contra la guerrilla de origen cubano. Complacía así a Haydée Santamaría, la papisa de la Casa de las Américas. Cuando Mario, que vivía muy cerca, me contó lo que había hecho, le dije que había un refrán popular cubano que era toda una sabiduría: «Cuando te tocan el culo una vez y lo admites te lo tocarán tres».

Entra Carpentier desde Francia. Alejo llamó a Mario y le dijo que quería verlo personalmente, vendría a Londres y lo llamaría. Vino y llamó. Quería que se reunieran en un restaurant de Knightsbridge. (Patricia Llosa me lo señaló un día: «En esa terraza tuvo Mario su entrevista con Alejo».) Alejo era ahora un hombre con una misión. (Recuerden que éste es el escritor altanero, elitista y aspirante al premio Nobel de Literatura.) La misión de Alejo era de recadero con ribetes de espía. En el restaurant vacío después del almuerzo, Alejo le dijo a Mario que traía un mensaje de Haydée Santamaría, que lo saludaba como un verdadero revolucionario. Lo menos que quiere un escritor es que lo confundan con lo que no es, pero Alejo hablaba ahora de escritor a escritor. Lo que era una falsedad. Haydée *quería* que Mario donara, públicamente, su premio (unos 30.000 bolívares: Alejo, ducho en aritmética venezolana, calculó que eran unos 25.000 dólares) a la guerrilla. La Casa de las Américas (es decir el Gobierno de Castro, que pagaba siempre a los diplomáticos a través del Narodny Bank ruso), le devolvería a Mario esa misma cantidad a razón de mil dólares mensuales, que le traería Alejo en persona. (Alejo completó la transacción pidiendo al camarero más cercano un brandy, en francés SVP.) La proposición cayó, al revés de las palabras en el Zohar que tanto admiraba Carpentier, en el vacío. Mario sería un ingenuo político pero no era tonto. Aceptar la oferta que podía rechazar significaba convertirse, de hecho, en un agente cubano, pagado por el Gobierno de Castro desde París a través del Narodny Bank. Mario dijo redondamente que no, y ahí comenzaron sus dificultades con el Gobierno cubano. Culminaron en 1971 cuando Haydée Santamaría lo acusó de negarse a ayudar a la lucha del pueblo venezolano (léase la guerrilla castrista) para comprarse una casa en un barrio de ricos en Lima.

Éste y otros recados (a la prensa, al pueblo de Francia) tuvo que aceptar hacerlos Alejo Carpentier. Era además de recadero de Castro repartidor de habanos por todo París: casi el lechero de Alquízar de nuevo. Una vez traía personalmente una caja de habanos a Sartre y el filósofo que fumaba se negó a recibirlo: comenzaba a caer en tanta desgracia como el régimen que representaba. En otra ocasión tropezaron Sartre y su carnal Simone en la Rue Bonaparte y Alejo tuvo que dar media vuelta, caminar de prisa y hasta correr perseguido por el dúo que gritaba al unísono a Alejo: *«Voyou! Vieux con! Dégueulasse!»*

Pero Alejo se afanaba en otros menesteres París arriba y, sobre todo, París abajo.

Fausto Canel, el director de cine cubano que vivía en París entonces y mantenía relaciones con los diplomáticos castristas, cuenta que iba un día por la Rue de La Paix hacia la embajada cubana cuando vio a Alejo bajarse de un taxi. Enseguida se dirigió a la boca del metro y se perdió en ella. Canel le iba a advertir, como si no lo supiera, que no tenía que coger el metro, que la embajada estaba a la vuelta de la esquina, cuando lo vio emerger agitado por la otra entrada, caminar unos pocos pasos ¡y dirigirse resuelto a su embajada! Era obvio que había entrado Alejo al metro y había salido Carpentier, el funcionario. ¿Por qué estas pequeñas maniobras? Estrategias de un diplomático socialista que no quería que sus colegas supieran que venía a su embajada en taxi y que, castrista humilde, viajaba en metro como ellos. Simulaciones de un hombre que toda su vida fue un simulador.

Pero fue en esa embajada, no cuando estaba en la Rue de La Paix, tan chic, casi frente a la Ópera, tan chichí, sino en la elegante Avenue Foch, en un apartamento lleno de nostalgias victorianas, donde Alejo dio muestras de un realismo político salvador. Carpentier había venido a Francia a dar charlas. Comenzó por Bayona y debió dirigirse a Burdeos, destino al que nunca llegó. Tres días más tarde, el embajador Carrillo estaba primero nervioso, luego muy nervioso y al cuarto día decidió dar a Carpentier por perdido: nunca *sperduto nel buio* sino perdido para la causa. Redactó un cable en clave que enseguida el agente del G2 de turno se ofreció a transmitir. Juan Arcocha, que era el agregado de prensa entonces, nada amigo de Carpentier, de hecho no lo tragaba, que tenía su cabeza bien puesta y no era un oportunista como el embajador ni un policía como el G2 local, dijo que se debía por lo menos esperar un día más a ver si Alejo aparecía.

Y al cuarto día Carpentier reapareció, maltrecho pero fiel, con su cara de perro *basset* más triste que nunca. El embajador pidió a todos un silencio cómplice: aquí no ha pasado nada, caballeros. Pero estaba de agregado cultural Juan David, excelente caricaturista, mediocre funcionario y buen amigo de Alejo. Fue así que rumbo al aeropuerto de regreso a La Habana le hizo saber a Carpentier el cuento corto de la larga espera, el cable y su clave. Según David, Carpentier se le hizo un Goliat político para exclamar, atronando el taxi:

«¡Comemierdas! Como si yo no supiera desde hace grato que el escritor que se pelea con la izquierda está perdido.» Y puso el énfasis en perdido. Carpentier se había encontrado con una oyente o fanática o fanática oyente y había invertido, divertido, los tres días perdidos, ganados de su itinerario: salió de Bayona para entrar en Burdeos de incógnito. París bien valía la misa negra en que ofició un embajador que no tenía idea de lo comprometedor que puede ser un escritor comprometido.

Permiso para un paréntesis. Hace poco se volvió a publicar en Inglaterra *El acoso* y el jefe de la sección de libros del diario *The Independent* me pidió una crónica. Allí dije que el libro breve «era una de las más perfectas *nove-*

llas en español, idioma en que se habían escrito *novellas* perfectas desde el Renacimiento». Después aclaré que Carpentier había escamoteado inútilmente la época de la acción, que no podía ser bajo el general Machado —*Machado about nothing*—, sino que parecía pertenecer a la era del gatillo vengador que se inició con los gobiernos de Grau y Prío (1944-1948). La contraportada mencionaba al «telón de fondo de la violenta tiranía de Batista», haciendo ver cómo ven los ignorantes que el juego mortal estaba en otra parte. Defendí a Carpentier escritor negando que tuviera nada que ver con el realismo mágico, ¡manes del nazi Roh! El autor cubano estaba bien lejos de esas Carmen Mirandas literarias que escriben con una pluma adornada con toda clase de frutas. Era una alusión, bien clara, a la falsa exótica Carmen Miranda, llamada *«the lady with the tutti frutti hat»*.

Era una crónica en inglés no menos elogiosa que la que había escrito otras veces sobre *Los pasos perdidos,* obra maestra que convierte el tiempo perdido en el espacio recobrado y el tiempo real es un viaje a los orígenes aborígenes. Aunque nunca advierto al lector del singular parecido entre *Los pasos* y *La Voie royale,* escrita por André Malraux en 1929: las aventuras de un arqueólogo en Indochina, infierno y paraíso tropicales. Antón Arrufat y yo, en el interregno que siguió a la clausura de *Lunes,* nos divertíamos señalando con flechas untadas de curare literario las muchas coincidencias. Pero siempre, *siempre,* terminábamos concluyendo que la copia era mucho mejor que el original y si Alejo había robado a los franceses Mabile y Malraux fue para crear facsímiles disímiles. Era más artista el cubano, ¿pero era realmente cubano Carpentier?

En su biografía breve Heberto Padilla se queja, precisamente, de lo escasa que es, para añadir: «Es casi falsa» y pasa a citar al propio Alejo que se aleja: «Mi abuela era una excelente pianista, alumna de César Franck. Mi madre lo era también y bastante buena. Mi padre, que quiso ser músico antes que arquitecto, empezó a trabajar el violoncello con Pablo Casals. Aprendí música a los once años. A los doce tocaba páginas de Bach, de Chopin, con cierta autoridad». Después de esta cita Padilla hace trizas la autobiografía oficial. «Pero nadie», dice Padilla, «en Cuba tuvo noticias de su abuela ni de su madre como pianista "bastante buena". Mucho menos de que su padre "trabajó el violoncello" con Casals». (Puedo añadir que Natalio Galán me aseguró que Carpentier leía música con dificultad.) Sigue Padilla: «Su infancia no tuvo la armonía», acertado término musical, «que se desprende de sus declaraciones. Vivió hasta la adolescencia en el campo, en las cercanías de Alquízar, un pueblo bastante pobre a varios kilómetros de La Habana». Ahora Padilla hace revelaciones indiscretas y, como antes, llenas de un humor corrosivo: «Su padre desapareció del país cuando Alejo era casi un niño en pos de una cubana mestiza y se perdió para siempre en el Canal de Panamá». (No en la selva.)

Padilla hace un paralelo erótico cuando revela al padre de Lilia Carpentier en una escena calcada de *El reino de este mundo:* en «la casa junto al río Almendares se vio aparecer una tarde, súbitamente, un gran óleo colocado entre dos puertas del comedor que daban al jardín. Era un negro, vestido a la manera de los haitianos descritos [por Carpentier], colmando todo el espacio de la tela. Supimos que se trataba del padre de Lilia, el único marqués negro de Cuba». Así hace trizas Padilla las anotaciones de otro biógrafo sobre liceos franceses y educación europea.

Nunca volví a ver a Carpentier después de aquel encuentro en la tarde con maleta (y mulata) al fondo, pero supe de él por personas interpuestas, con el auxilio de la tecnología del electrón, a la que Alejo era adicto desde que, según contaba, había escrito ballets para el compositor experimental Edgar Varese en sus días grises de París.

La primera noticia la trajo grabada en una casete Alex Zisman, estudiante de literatura en Cambridge. Zisman, peruano, es, como dicen los limeños, un plato: regalo de Mario Vargas Llosa, sobre quien Alex escribía una tesis de nunca acabar. Carpentier vino a Oxford en 1971 para una charla con preguntas públicas.

La primera pregunta de Zisman, que fue quien más preguntó, en español, era acerca de las dificultades del pueblo cubano para comer, producto del cruel racionamiento impuesto por Fidel Castro. «¡Es falso!», respondió Alejo, ágil pero gangoso. «Todo el mundo en Cuba come bien.» «¿Cuán bien?», le preguntó Alex a Alejo y Lilia, desde el público pero audible en la cinta, afirmó: «Comen tan bien como nosotros». ¿Es necesario recordar que los dos Carpentier, Lilia y Alejo, eran diplomáticos y vivían en París?

Alex (¡qué curioso juego de nombres y de sombras!) abandonó el tema, Qué Comen los Cubanos, para entrar en la literatura y preguntar por un libro mío. Carpentier perdió la compostura pero no el acento: «No he leído ese libro». Pero, siguió Alex, hay en él una parodia de su estilo y hasta de sus títulos. La versión paródica se titula «El ocaso», que es una parodia de *El acoso.* Carpentier insistió: «Le grepito que no he leído ese libro de que habla». Pero conoce, quiso saber Alex, a su autor que es cubano también. Alejo saliendo de otro acoso exclamó: «¡Ese señor *no* es cubano!»

Zisman cambió de autor pero no de tema. ¿Tampoco es cubano Heberto Padilla que está en prisión en La Habana por su poesía? «Ese señor», dijo Carpentier y hasta en la grabación se puede oír su odio todavía, «no está preso por escribir unos versos más o menos. Está preso por causas más graves que pronto se sabrán». Fin de la grabación pero no de mi comentario. «Este señor», es decir Heberto Padilla, la noche de ese mismo día, haría su confesión obligada en el salón de conferencias, ahora de confidencias forzadas, de la Unión de Escritores en La Habana. Es evidente que Carpentier ya estaba informado de «lo que ocurrirá», o gozaba de un don de presciencia pasmoso.

Más pasmosa que la presciencia es la tecnología. No se extinguirá mi asombro ante la cinta de vídeo que hace posible uno de mis sueños: la cinemateca de uno solo. Más asombroso es el fax, ese teléfono que trasmite no la voz, después de todo un milagro cotidiano, sino cartas y mensajes instantáneos, con tanta intimidad como una carta certificada, y casi con la misma seguridad. Pero el fax, como el teléfono, a veces produce mensajes cruzados y la máquina recibe un fax ajeno o anónimo. He recibido cartas equivocadas del mayor Ferguson, padre de la Duquesa de York, asegurándome que vendrá a un *tea party* que yo no daré. Una editora de *Vogue* me recomienda a una modelo (que puede ser estupenda o estúpida) para una ocasión de alta costura, con poca asistencia. (Por lo menos la señora a que iba dirigido el fax nunca recibió su invitación.) También un carnicero conocido me hizo llegar una lista de carnes en venta que ni yo ni el verdadero destinatario comeremos. Estas equivocaciones, debidas al teléfono con mensaje escrito, me hacen preguntarme a mi vez dónde irá a parar mi fax que no da en la diana. ¿Tal vez a la princesa Diana?

Pero un fax, anónimo, destinado a hacerse célebre, vino de París sin marca ni remitente: era un verdadero facsímil. La copia de un certificado de nacimiento emitido en Suiza, un *acte de naissance.* Decía, sucintamente, que el 26 de diciembre de 1904 había nacido en Lausana, Suiza, Carpentier, Alexis, hijo de Georges Julien, de nacionalidad francesa (Marseille, Bouches-du-Rhône), domiciliado en Saint-Gilles-les-Bruxelles (Bélgica), y de Catherine *née* Blagooblasof. El documento está expedido en Lausana, el 17 de septiembre de 1991. Como quien dice, acabado de emitir en Suiza y remitido desde París de donde me llegó, facsímil en mi fax.

La noticia era extraordinaria pero explicable. El documento desvelaba las múltiples y sucesivas invenciones de Carpentier por ser Alejo, por qué Lydia Cabrera, conocedora, lo llamaba siempre Alexis, por qué Alejo desplegó ese duradero rencor contra Padilla, el hombre que sabía demasiado, en Cambridge, y por qué Carpentier siempre había tomado a La Habana, como los ingleses, por un puerto de escala y, todavía más terrible, por qué se había comportado toda su vida tan mal con Cuba: cómo se había prestado a todas las canalladas para servir a dos amos, el comunismo y Castro, a quien debió tener por un usurpador pero era su embajador muchas veces extraordinario, usando su prestigio para un desprestigio. Este certificado de nacimiento, aparente inocente, explicaba más de una maldad.

Pero el azar puede abolir la presciencia. Por pura casualidad vino a tomar el té Valentí Puig, escritor catalán que es el corresponsal del *ABC* de Madrid en Londres. Le enseñé el fax como una suerte de *Cuban curio.* Cuando Puig leyó la inscripción de nacimiento de Carpentier y vio que era genuina, me pidió permiso para pasarla a su periódico. Entre divertido y advertido se lo di. Puig pasó, por fax, la copia del documento y el *ABC* publicó una nota ligera y poco relevante. Pero antes, de la redacción llamaron a Lilia Carpentier a La Habana. Ella reaccionó con acelerada virulencia política: «¡Eso es una infamia inventada en Miami!» Pobre Miami, tan lejos de Cuba y tan cerca de La Habana. El *acte de naissance* del cantón de Veaud no puede estar más lejos de Miami y más cerca de la verdad, porque es un acta suiza y por tanto neutral y aséptica como la Cruz Roja. Se originó, de veras, en un funcionario que si alguna vez oyó hablar de Alexis Carpentier lo habría confundido con Georges Carpentier, no el padre fugaz de Alejo, sino la Orquídea del Ring, campeón francés de los pesos pesados, famoso por su valor físico y su elegancia de dandy parisiense. Bien lejos de Alejo.

Hay una última pregunta que no puedo contestar pero tal vez pueda la cubanísima Lilia Carpentier. Que no ocultaba a su padre negro noble en Caracas y se hacía llamar «la señora Marquesa», pero no en La Habana. Durante años la única marquesa posible era una negra loca de sombrero sempiterno y boa al cuello que deambulaba por las calles y bajo el sol del trópico insistiendo que ella era una marquesa y Marquesa había que llamarla. Mi pregunta final es ¿por qué Alejo Carpentier nunca dejó saber que había nacido en Lausana y siempre inventó nacer en La Habana? Una ciudad de la que siempre huyó como de un acoso y quiso morir en París, donde, cosa sabida, sólo los metecos y los americanos solían «ir en coche al muere».

Posdata póstuma. Después de la muerte de Alejo se reveló quién había hecho la investigación ante las autoridades suizas. Había sido su antigua mujer Eva Frejaville, francesa en La Habana ahora en Los Ángeles. Todo comenzó un día con su visita a la madre de Alejo, de origen ruso, Catharine Blagooblasof. Exclamó nostálgica ella: «¡Cómo nevaba el día que Alejo nació!» La Frejaville iba a decir que no sabía que hubiera nevado en La Habana nunca. Se calló pero, después de divorciada, buscó en París sin suerte y luego en Suiza con acierto la partida de nacimiento de Alexis. Alejo murió, diplomático castrista, creyendo que había burlado a todos. Pero no hay una Eva que, expulsada del Paraíso, no lo sepa todo de Adán.

Antonio Ortega vuelve a Asturias

Ocurrió hace casi cuarenta años en La Habana y lo recuerdo como si hubiera ocurrido el año pasado en Bath. Hacía un mes o dos que había conocido a Antonio Ortega al llevarle a su despacho de la revista *Bohemia,* de la que era editor literario, un cuento mío, el primero que escribí y que era una suerte de parodia seria de un escritor que luego llegó a ganar el premio Nobel, pero a quien nunca consideré siquiera segundo de Ortega. Para ser jefe de redacción de la primera revista de Cuba, Ortega era increíblemente asequible. Siempre lo fue. Ese acceso fácil me permitió llegar tímido a él cuando yo no tenía más que diecisete años y exhibía el más claro aspecto de no ser nadie. (Cosa nada difícil porque no era nadie.) Ni siquiera aspiraba a la literatura todavía y escribir era otro juego adolescente. Como el ajedrez, aunque más fácil. Ortega no sólo leyó el cuento que le traje sino que lo publicó y hasta se convirtió en mi mentor literario y extraliterario.

Ahora lo visitaba asiduo en su casa de la calle Amistad y él conversaba conmigo mientras me instruía —una vez que supe aclarar su espeso acento asturiano—. Ortega, antiguo profesor de ciencias naturales, era esa cosa rara: un maestro nato. Por supuesto, también me prestaba libros de algunos autores que ni siquiera había oído mentar, como Kafka o Silverio Lanza, extraños y exóticos. Caminaba yo cada tarde de sábado desde nuestro cuarto de familia del *solar* (léase falansterio habanero) de Zulueta 408 hasta su casa en la esquina de Amistad y Trocadero. Ortega, que fue una de las pocas personas realmente aristocráticas que he conocido (y luego llegaría a conocer hasta lores ingleses, con un árbol genealógico sembrado antes de la invasión normanda, que son puros patanes), era también en extremo humilde. Su reducido apartamento, que compartía con su esposa Asunción, también asturiana, estaba entonces casi en el ombligo del barrio de lenocinio habanero, el notorio distrito de Colón, en que, siempre en La Habana, convivía la decencia con la prostitución, el bien y el mal empedrando infierno y paraíso por parejo. Curiosamente, al comienzo de esa calle Trocadero, estaban la redacción y los talleres de *Bohemia,* revista popular. Pero, asombro, al final de la calle, unas cuadras más abajo, vivió hasta su muerte José Lezama Lima, el más raro y hermético poeta de Cuba y director de *Orígenes,* exquisita revista literaria nada leída por el pueblo. Esas putas —que ni Ortega ni Lezama frecuentaron nunca, por razones encontradas— tuvieron la oportunidad de ser *hetairas.* Es decir, rameras ilustradas casi por contagio. En más de una ocasión pude atisbar unas prostitutas semivestidas en lo oscuro de un *bayú* (burdel barato) y una vez, saliendo una tarde de sábado de casa de Ortega, alcancé a ver una puta de carnes blancas y blandas que corría corita a atravesar la calle de un *bayú* a otro, haciendo de Trocadero una calle olímpica: ninfas corriendo desnudas.

A Lezama lo visitaban otros poetas católicos culteranos y hasta Juan Ramón Jiménez, exilado en La Habana entonces, de visita, tuvo que dar un corte cauto al putería procaz más de una vez para llegar a Lezama Lima. Entre esas putas indolentes o insolentes el poeta era conocido como *Barbita Negra.* (Así eran de raras las barbas en Cuba entonces.) Según Lezama, para insultar al barrio, Juan Ramón decía que Colón le recordaba a Huelva en verano. No alcancé la medida de este insulto andaluz hasta conocer Huelva el año pasado: no hay duda de que Jiménez era esquinado y alevoso. A Ortega lo visitaban el doctor Gustavo Pittaluga, uno de los científicos españoles más ilustres de la anteguerra, María Zambrano, Lino Novás Calvo y muchos eminentes escritores españoles exilados. Una noche conocí en su casa a Cernuda, vestido a la inglesa, de pipa y tweed. A Ortega nunca le importaron ni la dudosa moralidad del barrio ni la cierta humildad de su apartamento. Seguía sin saberlo ese proverbio inglés que recomienda estoico: nunca te quejes, nunca expliques. En una ciudad minada más que dominada por el automóvil, Ortega no tuvo auto propio hasta que el director de *Bohemia,* Miguel Quevedo, le regaló el viejo Studebaker de su hermana. Ortega lo llamaba siempre con cariño su cacharrín. Demócrata incurable, Ortega representaba lo mejor que la República dio a España y Franco desplazó hacia un exilio varias veces miserable. Ortega fue más afortunando que muchos pero sólo por un tiempo. Lo conocí a fines de 1947 y a comienzos de 1960 ya era de nuevo exilado político de su segundo país. Como sus cuentos atestiguan, dos patrias tenía Ortega, Asturias y La Habana.

Un día de diciembre de ese año 1947 tan mencionado por mí, por memorable (casi todo comenzó entonces), Ortega contribuyó a hacerlo extraordinario al entregarme una carpeta de tapa dura que contenía el manuscrito de un libro titulado, exóticamente extraño, *Yemas de coco.* Estaba mecanografiado de mano impecable, que no podía ser la de Ortega. Como otros españoles de su generación (por ejemplo, el poeta gallego Ángel Lázaro, ahora testimonio vivo todavía de este tiempo, en Madrid) que trabajaban en periódicos y revistas de La Habana, y vivían entre la letra impresa y las máquinas, Ortega desdeñaba la máquina de escribir. Siempre sospeché que más que despreciar la máquina, todos temían al fracaso ante una tecnología nueva. Que esa tecnología tuviera ya casi un siglo (la primera máquina de escribir se creó hacia 1865: curiosamente esta invención masculina ha hecho más por abrirle puertas a la mujer que todos los movimientos feministas: esto, no tiene nada que ver con los cuentos de Ortega excepto que estaban todos meticulosamente mecanografiados), esta veteranía no hacía a la máquina más respetable si se la compara con las decenas de siglos en que se usó la pluma y el papel horizontal sobre una mesa.

Pero el manuscrito tenía numerosas anotaciones a mano, hechas por Ortega con su letra regular pero minúscula y al mismo tiempo eminentemente legible. Siempre fue para mí, que araño y garrapateo más que escribo, una caligrafía perfecta. Al final, el libro estaba firmado a pluma: Antonio Ortega, naturalmente. Pero ni las tes estaban cruzadas ni la i tenía su punto y a la A le faltaba la barra traviesa. Cuando le pregunté a Ortega el porqué de esta firma desnuda me confió que durante la guerra civil, como comisario político de Asturias, tuvo que firmar tantos documentos, edictos y proclamas que para simplificar este proceso y serle posible el mayor número de firmas en el menor tiempo, había eliminado todo trazo superfluo. Pienso ahora que esas íes sin punto y esas tes sin cruz contribuyeron al exilio de Ortega, a sus penas de exilado doble (de España, de Cuba) y finalmente a su muerte miserable en Maracaibo.

Cuando regresé a mi casa esa tarde, al ver mi madre que *Yemas de coco* no estaba aún en forma de libro pero era ya un libro, se quedó paralizada por la reverencia o ante el privilegio conferido al hijo mayor. «Tú cuida mucho ese libro», me aconsejó. «Mira que los escritores *nunca* dejan leer así sus escritos.» Para ella, pobre, como comunista que creía en Cristo, cada libro era una posible versión de la biblia o de *El Capital*—esa otra biblia no por impenetrable menos sagrada. Claro que cuidé *Yemas de coco* aunque no fuera un manuscrito verdadero o único, sino una copia a máquina. Debía leerlo en una semana y devolver el escrito a Ortega al sábado siguiente, pero lo leí en una noche.

Conocí a Ortega como novelista, autor de una novela, *Ready,* que no podía juzgar porque era la vida a ladridos que hablan de un perro sato (sin raza, con todas las razas), que recorría La Habana en una picaresca canina de la que Ortega era más Guzmán que Quevedo: nada cruel. No pude juzgar ese libro al leerlo porque mi amor por los perros me lo impidió entonces. Hoy recuerdo que *Ready* era como una versión amable de *Colmillo blanco* o de *La llamada salvaje.* Esas feroces faunas que Jack London situó en el Yukón inhumano o en la imposible tundra americana, se convertían ahora en una deliciosa jauría juguetona entre calles y callejones de una ciudad, La Habana, que era, si cabe, demasiado dulce. La prosa acariciante de Ortega contribuía al clima cálido y blando del trópico. Pero este libro, cosa curiosa, fue en Cuba un best-seller mayor que la elogiada novela del futuro premio Nobel y presente indio olvidado, para parodiar el título de uno de los cuentos más brillantes de Ortega, que cierra este volumen realmente excepcional.

En *Yemas de coco,* más que en ninguno de sus libros (más aún que en una novela inédita, sin título, sin acabar, dispareja pero de la que recuerdo haber leído unos capítulos memorables en su casa de El Vedado, a finales de los años cincuenta: esta vez el manuscrito era realmente un manuscrito y las páginas culminaban en una matanza indiscriminada de cangrejos en la carretera cuando iban ciegos rumbo al mar a desovar, que es una preocupación propia del naturalista), muestra que Ortega era de veras un narrador natural. Mucho más genuino que otros escritores de su generación y de más tarde, que escribían ficción como hacían periodismo o publicidad, o esa pútrida publicidad política que es la propaganda. No sé qué escritores pudieron influir en Ortega, quien compartía muchas de las supersticiones literarias de su tiempo. Nunca pude comprender realmente cómo este hombre cultivado y culto podía considerar a mediocres nacionales como posibles premios Nobel. Tal vez la explicación no esté en la generosidad literaria, sino en su generosidad genuina. Ortega protegía, por ejemplo, en *Bohemia* primero y en *Carteles* luego, a un coterráneo suyo al que odiaba como escritor y como persona. Luis Amado Blanco, dendista dantesco, era un detestable envidioso de Ortega, a quien sobrevivió para morir no entre la sangre y el horror en Venezuela, sino en el escarnio de todo el exilio español pero en la exaltación oficial en Cuba. También acogía libros y autores que debía saber mediocres y más dignos de desprecio que de algún aprecio.

Hay que llegar a la conclusión de que si Ortega era excepcional como persona, fue también extraordinario como escritor. Más aún: era un original. Una originalidad encontrada desde el principio: natural nunca buscada. Al contrario, de haber atendido más a los modos (y a las modas) de su tiempo, yo no estaría escribiendo estas páginas que tratan de rescatar las suyas del abandono y el olvido: serían superfluas. Pero su tiempo fue implacable. Si a todos nos tocan, como quiere Borges, malos tiempos que vivir, a Ortega le tocaron tiempos de imposible vida, y escapó de milagro pero por poco tiempo. De no haberse exilado a Cuba, le habrían fusilado en España bajo Franco. Pero de no haber sido siempre demócrata y republicano (siempre antitotalitario: siempre antifascista) o haber podido simular y tragar el suave cebo y escupir el anzuelo, de no haberse exilado de nuevo y dejado Cuba comunista por la democrática Venezuela, sería ahora celebrado en todas partes: en Cuba y en España y, sórdida ironía, también en Venezuela, donde sólo unos pocos reconocieron su valor. Pero prefirió la honestidad individual al oportunismo colectivo. Al hombre lo perdió su decencia, que es un destino trágico pero honorable. Al escritor podemos encontrarlo ahora.

Una nueva lectura de *Yemas de coco* casi cuarenta años después muestra a Ortega tan fresco como era esa noche de sábado de 1947 en que tuve el privilegio y el gozo de leer su libro de cuentos, y dejarme influir por su estilo, contagio que Ortega diagnosticó enseguida. Ahora el libro aparece inédito todavía (ésta es su primera publicación verdadera ya que la edición cubana, apoyada por un editor que la contamina, padece de aquello que maleditó ese Midas al revés: todo lo que tocó se hizo miserable) en su Asturias natal, tierra que Ortega hizo para mí mítica. Tal era su poder de evocación que llegué a añorar el bable y el orvallo como propios de un país que creí también el mío. Cuando visité Gijón por primera vez en el verano de 1981 no encontré, claro, a ninguno de los dos. Todo el mundo hablaba español y el sol salió tres días seguidos, lo que para un londinense es visitar la Riviera. Llovió un día pero fue tan breve y fuerte aguacero que pareció un chubasco tropical. Asturias es un mito que Ortega inventó.

Pero leyendo estos cuentos regresa Ortega y con él vuelve también el tiempo del orvallo y el rumor del bable que no se habla en sus cuentos. Sin embargo hay un toque exótico que he aprendido a reconocer como prójimo luego. Cuando leí el libro en La Habana encontré personajes que «cogían frío» ¡y morían casi enseguida! Desde Cuba esta enfermedad me parecía tan imposible o al menos tan remota como la fiebre del sueño y la mosca tsé-tsé que la trasmite. Ahora, después de años de exilio en Londres, la enfermedad favorita de los personajes de Ortega no es sólo posible sino que es favorita de muchos ingleses, que escogen coger frío y se mueren en cuestión de días, como el antagonista de «Siete cartas a un hombre».

Yemas de coco, el cuento, es una historia que Ortega pudo haber convertido en una novela, como pudo haber caído, más de una vez, en el sentimentalismo, y evadió con éxito ambas tentaciones. No tengo nada contra la novela ni mucho menos contra el sentimentalismo. Al contrario, muchos de mis mejores amigos son sentimentales. Por amigos me refiero a boleros y tangos y a esos filmes viejos con un final feliz. También a mucha música melosa, melodiosa. Chaplin, por ejemplo, es descaradamente sentimental. John Ford es un sentimental seco, contenido. Ortega es un sentimental que quiere ser duro a veces o mejor, declarar que es antes que nada un científico. Pero este científico, hijo y hermano de científicos, llegó un día al laboratorio de su hermano médico y encontró una curiosa cobaya: un perrito con el número 3 colgado al cuello para experimentos *in anima vili* y vivisecciones y disección final. Nuestro científico seco se enterneció tanto que rescató al can de una suerte peor que la muerte. Se llevó el perro a casa y le puso por nombre *Tres.* (Todavía en La Habana en los años cincuenta tenía Ortega una perrita llamada *Tres.)*

Confieso que a mí me conmueve de veras la historia de Palmira, la que comía yemas de coco. No me emociona la anécdota ni la trama. Me mueve la prosa de Ortega, que sabe como Chéjov ser emotivo y al mismo tiempo hacer un diagnóstico casi médico de sus personajes. Con una sola frase establece Ortega una relación entre el lector y la ordenación rigurosa de los elementos de su prosa. Así cuando escribe: «El suave y fresco terral de febrero estremeció blandamente las altas y oscuras casuarinas», el lector sabe que está frente a la verdadera literatura, señalada apenas con un sustantivo tan tenue como el nombre de la casuarina. O este otro comienzo memorable: «Surgió inesperadamente entre un montón de recuerdos: detrás de un sofocante olor a tuberosas». Las casuarinas y las tuberosas hacen del recuerdo no un olor impresionista sino que son exactos. Es que Ortega sabía que las páginas escritas no huelen sino que nos hablan a los ojos, silenciosas pero a la vez increíblemente gárrulas, como algunas mujeres descritas por él. O como las cartas de sus personajes.

«El evadido» es un cuento en que, como en «La huida», hay una relación política inferida o inherente al relato. «El evadido» parece un compromiso renuente, mientras que en «La huida» Ortega admite que la única manera de hablar de política en ficción es hacerlo con el lenguaje de la prensa —periodísticamente, como un reportaje: como un reportaje pero evitando siempre la página noble, editorial y la impotencia del denuesto. Hay otros cuentos en el libro, como «Siete cartas a un hombre», en que el recurso tan usado, por su comunicante hermetismo, de la literatura epistolar está justificado: una carta que se recibe es siempre un sordo monologante, no un interlocutor válido. Las cartas hablan pero nunca oyen: contestarlas es incurrir a su vez en *mi* monólogo. Este cuento es a veces de una lectura dolorosa y creo que obtuvo un premio en España antes de la guerra civil. En Cuba un cuento aún más terrible, «Chino olvidado», ganó un premio aún más celebrado: era importante y hasta decisivo entonces y Ortega fue famoso por un tiempo. Después, poco a poco, se lo tragó la profesión del periodismo: fue jefe de redacción supremo, hombre de confianza del director de *Bohemia* y él mismo director de *Carteles.* Al revés del héroe de *La vorágine,* no se perdió súbitamente al entrar de lleno en esa selva salvaje, pero no creo que Ortega volviera a escribir nada, ni siquiera un editorial. No en Cuba en todo caso: Ortega, que era reservado en extremo en su vida privada, no tenía para mí secretos literarios. Cuando publiqué «La huida» (una narración de Franco antifranquismo y de eficaz convocatoria republicana en que hasta la palabra de paz *bous* suena a obús) en *Lunes de Revolución,* que fue el más importante suplemento literario jamás publicado en Cuba, pareció complacido. Pero su exilio abrupto a Nueva York poco después mostró que su complacencia era, como siempre, personal: una cortesía, otra finura del caballero español. Ortega nunca me dijo, como supe después, que no quería asociar este escrito suyo a la estridente literatura partidaria antologada allí.

Los cuentos recogidos en este libro son ejemplares raros en una literatura como la española nada adicta (ni adepta) al cultivo del cuento. Muestran, además, una característica que revela a los buenos escritores y que emparenta a Ortega con Lino Novás Calvo, ese otro gran cuentista cubano nacido en España (esta vez en Galicia), que muere ahora lenta y bruscamente en Nueva York de sucesivas embolias cerebrales. Esa distinción común es el gusto por los nombres propios y los apellidos sonoros y exóticos. Curiosamente Ortega y Novás Calvo usan a menudo casi un mismo nombre cantábrico: Novás Calvo llama a un héroe suyo Fenollosa, Ortega le pone a otro Felechosa. Para mí son sólo sonidos sugerentes, para ellos tal vez tengan otro valor literario. En todo caso es imposible saberlo ahora y un escritor no hace más que proponer modelos de lecturas. Finalmente quiero decir que ésta es una presentación de ocasión, no el detenido análisis literario que se merece Ortega y que yo, que le debo tanto, no puedo hacer porque siempre se interpondría ese sentimiento que él apreciaba por encima de todo: la lealtad. Esa lealtad es personal pero es también literaria. Como los personajes de Antonio Ortega, no puedo escribirle unas pocas líneas siquiera sin que se conviertan en un escindido mensaje privado, a la vez regocijado y doloroso: cartas a un muerto.

Ahora aquí tienen ustedes los cuentos de Antonio Ortega, autor que el exilio quiso hacer anónimo. Léanlos y aprendan a apreciarlos sabiendo que es una lástima que su autor no esté más entre aquellos que fueron sus lectores preferidos: los que oyen el bable y el orvallo todavía. Casi iba a decir que no importa que él no esté porque está su literatura. Pero lo terrible es que sí importa. Nada mata tanto a un escritor como el olvido que es peor que el desprecio. Sin embargo la lectura, ese recuerdo verbal, no puede devolver nunca la vida a un autor muerto. Es que la literatura, como esta introducción, después de todo no es más que un extendido epitafio.

Agosto de 1982

Adiós al amigo con la cámara

El contestador automático no es tal. Es una máquina que revela el alma o por lo menos el carácter. El autor de la respuesta que se repite pero que no es nunca automática, se encuentra enfrentado con el micrófono oculto con la necesidad de decir algo y ser breve. Mediante el contestador tiene que componer su libreto y ser autor que se dobla (o se desdobla) en actor. Algunas respuestas son de veras ingeniosas y hasta divertidas. John Kobal, por ejemplo, que fue actor, cambiaba a menudo su respuesta, siempre con música de fondo, para informarnos dónde estaba y qué hacía y cuándo regresaría. Paquito D'Rivera, que es músico, toca el clarinete y responde a dúo con su mujer Brenda, que es cantante, al son de su último disco, *Tico Tico.* Néstor Almendros era diferente. Nunca cambiaba. Es decir, era el mismo. O él mismo. Su respuesta era siempre igual: un poco seca (como su padre castellano), un poco catalana (como su madre) y, en inglés, tenía un leve acento cubano. Era además directo, informativo y deferente, y separaba cada palabra para que no hubiera duda de lo que decía. Si todo mensaje puede ser terrible, ahora lo duro es que no habrá otro mensaje de Néstor, doble, como cuando se escondía tras su máquina y decía, al reconocer a un amigo, «Ah, eres tú». No habrá más, es triste, un amigo de casi medio siglo.

Néstor Almendros llegó a La Habana en 1948 para reunirse con su padre, educador y exilado español, a quien no veía desde su fuga en 1938. Néstor tenía entonces diecisiete años. Lo conocí en el curso de verano sobre cine que tenía la Universidad de La Habana, ese año. El cine nos reunió, el cine nos unió. Creo, estoy seguro, que Néstor es el más viejo de mis amigos. Dolorosamente donde dije es ahora tengo que decir era. Pero, por Néstor, conocí amigos que eran amigos del cine y otros que demostraron ser más amigos del poder que del cine. O amigos del poder por el cine.

Para Néstor, como para mí, La Habana fue una revelación. Pero si yo venía de un pobre pueblo, Néstor venía de Barcelona y su sorpresa fue siempre un asombro mayor. Lo asombraron la multitud de cines (y una sorpresa que nunca fue mía: todas las películas estaban en versión original), lo asombraron los muchos periódicos, las revistas profusas y entre ellas las dedicadas especialmente al cine. Lo asombró cuánta gente rubia había en La Habana. «Por culpa de ustedes», le dije. «¿No has visto cuánto apellido catalán hay en Cuba?» Incluso un presidente se llamó Barnet, otro Bru. Le alegró que el primer mártir de la independencia de Cuba en el siglo XIX fuera catalán. Néstor, que tenía un padre castellano de pura cepa y que en Cuba se hizo cosmopolita, era catalán y en esa extraña lengua se comunicaba con su madre, la bondadosa María Cuyás, que lo sobrevive, y con sus hermanos María Rosa y Sergio. Su luminoso apartamento de El Vedado era una casa catalana.

Siempre supimos que íbamos a hacer cine. Néstor escogió el arte más difícil, la fotografía. Joyce declaró una vez que él era original por decisión propia, aunque estaba menos dotado que nadie para tal tarea. Néstor se hizo fotógrafo por voluntad, por una veta férrea en su carácter que asombra a quienes no lo conocían. Empezó con una cámara ordinaria y llegó a ser un fotógrafo de primera. Pero cuando me hizo mis primeras fotografías, que estuvo dos horas fotografiando, al final de la sesión descubrió ¡que había dejado la tapa sobre el lente! Era, desde muchacho, sumamente distraído y ya como fotógrafo profesional tenía asistentes para asegurarse de que no olvidara nada. Solía tropezar con todos los objetos que estaban en su camino y aun con algunos que no lo estaban. Néstor, que en sus últimas fotografías aparece con los ojos desnudos porque usaba lentes de contacto, cuando lo conocí llevaba unas gafas gordas de fondo de botella y no recuerdo haber conocido a alguien más miope. Pero era ya el ojo del cine.

Néstor al descubrir La Habana se descubrió a sí mismo y al descubrir su sexualidad cambió su vida. Pero siempre fue la discreción misma: en el vestir, al hablar y uno piensa que así debió ser Constantin Cavafis. La Habana fue entonces su Alejandría. Pero, entre amigos, podía bromear de una manera que era asombrosamente cubana y a la vez muy suya. Néstor, tan serio, solía ser en la intimidad devastadoramente cómico con sus apodos para amigos y enemigos: a un conocido comisario cubano lo bautizó para siempre *la Dalia*.

Néstor se fue de Cuba cuando la dictadura de Batista y regresó al triunfo de Fidel Castro. (Casualmente había conocido a Castro al fotografiarlo en la cárcel de su exilio mexicano.) Pronto se desilusionó al descubrir que el fidelismo era el fascismo del pobre. Tenía, me dijo, su experiencia de la España de Franco: «Esto es lo mismo. Fidel es igual que Franco, sólo que más alto, y más joven». Ambos habíamos fundado, junto con Germán Puig, la Cinemateca de Cuba que naufragó en la política. Ambos fuimos fundadores del Instituto del Cine. Ambos descubrimos que era sólo un medio de propaganda manejado por estalinistas. Cuando la prohibición por el ICAIC (Instituto del Cine) de *P.M.*, un modesto ejercicio en *free cinema,* que habían hecho mi hermano Saba y Orlando Jiménez, Néstor, que había devenido crítico de cine de la revista *Bohemia,* escribió un comentario elogioso. Fue echado de la revista enseguida. Esta expulsión fue su salvación. Poco después salió de Cuba por última vez.

Néstor se hizo un fotógrafo famoso en Europa. Ésta es una reducción de la realidad. Néstor pasó trabajo, necesidades y hasta hambre, como lo atestiguó su amigo Juan Goytisolo, en París. No fue el fotógrafo favorito de Truffaut y de Rohmer de la noche tropical a la mañana francesa. Lo vi a menudo entonces y supe que llegó a dormir en el suelo de un cochambroso cuarto de hotel que alquilaba un amigo. Néstor siempre fue indiferente a la comida, pero lo que tenía que comer en la Ciudad Universitaria no era *nouvelle cuisine* precisamente. Para perseguir su vocación, llegó a rechazar una oferta de un lujoso colegio de señoritas americano (donde ya había enseñado en su segundo exilio) y persistió en su empeño en Francia, donde se sostenía haciendo documentales para la televisión escolar. Pasaron años antes de que lo invitaran a fotografiar un corto en una película de historietas. Fue así, con trabajo, a través de su trabajo, que se hizo el fotógrafo que fue.

Tengo que hablar, aunque sea brevemente, de su oficio que era una profesión que era un arte, que era una sabiduría. Néstor no era el escogido de Truffaut, de Rohmer, de Barbet Schroeder, de Jack Nicholson, de Terry Malick y finalmente de Robert Benton por su cara linda, que nunca tuvo a pesar de su coquetería de lentillas y sombrero alón. («Tengo —solía decir—, cara de lenguado.») Todos esos directores, y otros que olvido, usaban a Néstor una y otra vez porque Néstor no sólo fotografiaba sus películas sino que resolvía problemas de decorado, de maquillaje, de vestuario con su considerable cultura, sino que reescribía los guiones, como hizo con la fracasada penúltima película de Benton. Trabajaba con el director antes y después de la filmación, enderezando entuertos, que eran muchas veces del director, y hasta resolvía problemas de actuación durante el rodaje. Y aun antes, mucho antes. Hace poco un guionista americano laureado le pidió que leyera su guión sobre la vida y hazañas de Cortés. Néstor hizo sus comentarios siempre sabios. Incluso evitó al escritor una metida de pata hercúlea cuando descubrió Néstor que Cortés estudiaba en el cine su plan de campaña ¡sobre un mapamundi! Néstor, más cortés que Cortés, le indicó al guionista que era un anacronismo, como cuando Shakespeare en *Julio César* hace sonar veintiún cañonazos a la entrada de César en Roma. La comparación con Shakespeare no sólo era caritativa sino halagadora. Así era Néstor Almendros.

Si Néstor tuvo una vida sexual discreta, tuvo una vida política abierta de ojos abiertos. Pocos extranjeros (aunque Néstor era un cubano honorario: la mayor parte de sus amigos y muchos de sus enemigos somos cubanos) han hecho tanto pero ninguno más por la causa de Cuba. Fue Néstor quien alertó al mundo, gráficamente, cómo era la caza de brujas sexuales en Cuba castrista, con su *Conducta impropia,* en que se hablaba y casi se veía por sus protagonistas los campos UMAP para homosexuales que Castro creó. Muchos podrían decir que le iba un interés en ello. Pero Néstor produjo otro documental, aún más revelador, en *Nadie escuchaba,* sobre los abusos contra los derechos humanos en Cuba castrista. Fue este documental esencial para que se condenara al régimen de Castro, en todas partes y sobre todo en las Naciones Unidas ahora. Como con *Conducta impropia,* Néstor había venido a estos proyectos por una visión que era una convicción: trasmitía su horror antifascista, nacido en la España de Franco pero reencontrado en la Cuba de Castro. Ahora mismo, ya herido de muerte, trabajaba (junto con Orlando Jiménez, su colaborador de *Conducta impropia)* en un documental hecho de documentos sobre la vida, juicio y muerte del general Ochoa, la más propicia víctima de Castro.

Es dura la muerte de Néstor. Para mí, para sus amigos, para sus fanáticos que juraban que era uno de los grandes fotógrafos de la historia del cine. Para mí, como espectador que cree que la fotografía es la única parte esencial de una película, sólo tiene, si acaso, un rival actual en Gordon Willis, el que fue fotógrafo favorito de Woody Allen y de Coppola. La ventaja de Néstor es su modernidad clásica, visible tanto en *El niño salvaje* como en *La rodilla de Claire,* o su aura romántica en *Días de cielo* (que le ganó el Oscar en 1979), o su elegancia *art déco* en *Billy Bathgate,* su última película, que contribuyó tanto a su muerte.

Por una constancia que no abolirá el azar, llamé a Néstor por última vez hace dos domingos. Sabía, como todos sus amigos, que Néstor había desaparecido, supe que esa desaparición fue en un hospital en busca de un tratamiento desesperado. Aunque Néstor no había dicho a nadie cuál era su enfermedad, muchos sospechábamos qué era la Enfermedad. Oí su discreto mensaje grabado otra vez, pero cuando me disponía a dejar mi mensaje salió el propio Néstor diciendo: «Ah, eres tú». Aunque Néstor estaba casi sin voz y su mismo mensaje parecía venir del más allá, me contó, sin motivo, el día de su llegada a La Habana en 1948. Cómo fue retenido en cuarentena en el barco y cómo vino su padre a rescatarlo con un amigo que era amigo de un inspector de inmigración. «En Cuba», recordó Néstor, «siempre había un amigo que conocía a otro amigo que venía a salvarte». Después nos despedimos esta vez para siempre. Al otro día, lunes, Néstor entraría en coma para no salir más.

Una vez Billy Wilder encontró a William Wyler en el entierro de Ernst Lubitsch. «¡Qué pena!», dijo Wyler. «No más Lubitsch.» Le respondió Wilder: «La pena es que no habrá más películas de Lubitsch». ¡Qué pena que no haya más películas de Néstor Almendros! ¡Qué pena mayor que no haya más Néstor Almendros!

Marzo de 1992

Reinaldo Arenas o la destrucción por el sexo

Tres pasiones rigieron la vida y la muerte de Reinaldo Arenas: la literatura no como juego sino como fuego que consume, el sexo pasivo y la política activa. De las tres, la pasión dominante era, es evidente, el sexo. No sólo en su vida sino en su obra. Fue el cronista de un país regido no por Fidel Castro, ya impotente, sino por el sexo.

Una reciente diatriba del semanario *Juventud Rebelde* (que debiera llamarse Senectud Obediente) alerta, con la prosa de una hoja parroquial, contra lo que llama «fornicación excesiva», a que se entregan, libertinos pero no libres, los citadinos forzados a trabajar en el campo en un uso orweliano del término *voluntarios*. El editorial acusa a esos súbitos labriegos urbanos de hacer no sólo exhibición colectiva del coito más desaforado, sino de entablar emulaciones nocturnas entre ambos sexos. En otras palabras, la orgía perenne, como el follaje.

La llamada al orden ante el desorden del sexo no es nueva en Cuba. Una cédula real ya en 1516 (a poco más de veinte años del descubrimiento) condenaba las prácticas sexuales de los nativos y la corona fruncía el ceño al acusarlos además de bañarse demasiado. «Pues somos informados», terminaba la admonición real, «de que todo eso les hace mucho daño». Algo se ha ganado de Carlos V acá: ahora los cubanos, por la poca agua y la falta de jabón, se bañan mucho menos que sus antepasados. Pero las prácticas contra natura cobran nuevo auge.

Si escritores homosexuales como Lezama Lima y Virgilio Piñera, difuntos, y el malogrado poeta Emilio Ballagas, dejaron una visión homoerótica del mundo, siempre la expresaron por evasión y subterfugio, por insinuaciones más o menos veladas, y, en el caso de Ballagas, por bellos versos epicenos. Incluso Lezama (que con el capítulo octavo de *Paradiso* causó sensación, en 1966, entre los lectores cubanos reprimidos por el régimen y el mismo Lezama sufrió de seguida un monstruoso ostracismo) operaba en sus novelas y en sus poemas por símiles oscuros, por metáfora, como en su notoria declaración: «Me siento como el poseso penetrado por un hacha suave».

Mi pueblo, Gibara, produjo también lemas notables aunque anónimos. Uno era, «Doy por el culo a domicilio. Si traen caballo salgo al campo». Otro era una prueba eficaz para determinar la locura: «Poner los güebos en un yunque y darles con un martillo». Otro era exclamar: «Se soltó la metáfora», para expresar un desvarío, un desenfreno. La misma declaración era una metáfora. Nunca como en *Paradiso* esta frase folklórica se convirtió en un sistema poético. Pero sus lectores nativos querían leer un realismo descarado que Lezama desdeñó por directo. Es decir, grosero. Ni aun Virgilio Piñera, que se veía a sí mismo como el epítome de la loca literaria (lo que le costó la cárcel en 1961, el desprecio peligroso del Che Guevara en la embajada cubana de Argel, que presenció Juan Goytisolo, y el abandono último), nunca tuvo la franqueza oral (en todos los sentidos) de su discípulo Reinaldo Arenas.

Las Memorias de Arenas, *Antes que anochezca,* publicadas ahora, son de una escritura en carne cruda y entre indecente e inocente. Como su vida. Dice Borges que no hay acto obsceno: sólo es obsceno su relato. En el libro de Arenas, tan cerca de Borges, no sólo es obsceno el relato, son obscenos todos sus actos. Esta narración, sin embargo, no tiene nada que ver ni con Piñera ni con Lezama, sus maestros mentores, sino que entroncan directamente con otro libro cubano extraordinario que está dominado por la sexualidad en general y en particular por la pederastia y su juego de manos cubano: el homosexual pasivo es una mujer extrema, el homosexual activo es un supermacho, porque, razona, fornica machos. No es extraño que Arenas rinda ahora homenaje a Carlos Montenegro. La novela o confesión de Montenegro se llama *Hombres sin mujer* (de 1937 pero ha sido reeditada en Málaga y en México hace poco, nunca en Cuba castrista) y a su autor sólo le concierne la vida sexual en la cárcel.

Reinaldo Arenas va más allá de Montenegro y habla del sexo en la cárcel, en libertad, en la ciudad, en el campo, en su niñez, en su vida adulta y su clase de sexo se manifiesta entre niños, con muchachos, con adolescentes, con bestias de corral y de carga, con árboles, con sus troncos y sus frutos, comestibles o no, con el agua, con la lluvia, con los ríos ¡y con el mar mismo! Y hasta con la tierra. Su pansexualismo es, siempre, homosexual. Lo que lo hace una versión cubana y campesina de un Walt Whitman de la prosa y, a veces, de una prosa poética que es un lastre de ocasión en ocasión.

Reinaldo era un campesino nacido y criado en el campo y educado por la revolución, que se concibió y se logró y casi se malogró como escritor. Muchas veces me he preguntado por qué el régimen castrista que lo hizo, trató tanto de destruirlo. Una respuesta posible es que Arenas nunca fue revolucionario y siempre fue un rebelde, que demostró con su vida y con su muerte («*Siccut vitae, finis ita*» decían los romanos) ser un hombre valiente. Con un talento bruto, que en este libro póstumo casi llega al genio, si su vida es como su final, desde el comienzo fue un largo coito sostenido. A veces en solitario, casi siempre en compañía de otros hombres. Pero si es verdad, como advierte Cyril Connolly, en un libro que parece un justo epitafio para Arenas, *La tumba sin sosiego,* que un hombre que no conoce en su vida siquiera una mujer, muere incompleto, Reinaldo, al haber tenido una vida homosexual tan activa, no pareció nunca incompleto. Tuvo, sí, una relación sexual con una prima (esas primas del campo, siempre adelantadas a sus primos), aunque ocurrió allá lejos y hace tiempo. Los dos no tenían todavía seis años y su extremo placer juntos era comer tierra hasta el paroxismo no erótico sino gástrico.

Arenas, que parecía más un romano antiguo que un guajiro, no era un romano delicado. Más gladiador que poeta de la corte, era tosco, rudo y audaz y no conoció nunca el miedo. Aunque, como todos los valientes veraces, el primer sentimiento que confiesa es la cobardía. Me pregunto si esta confesión, entre tantas confesiones audaces, no es más que una vanidad. Pero su vida fue una azarosa aventura en un bosque penetrable de penes, dejando detrás la señal de su semen y de su escritura. Era un Hansel que quiso ser siempre Gretel en la leyenda. Pero en el mito político fue un sir Roger Casement del trópico, con sus confesiones nefandas, siempre un patriota de las islas.

Nacido en Aguas Claras, un caserío entre Gibara y Holguín, al extremo este de la isla, más que pobre fue miserable desde la cuna. Bastardo y fantasioso, en su confusión de lecturas adolescentes se unió a una guerrilla confusa que peleaba una guerrita confusa contra un enemigo invisible y más que buscar camorra buscaban comida. A la toma del poder por Fidel Castro, vino a La Habana como miles de muchachos campesinos, buscando como los labriegos del Lacio buscaban a Roma. Todavía adolescente, ganó un premio con su primera novela, *Celestino antes del alba,* cuyo título recuerda al de su último libro. *Celestino* es un poema demente situado no lejos del territorio de Faulkner, pero muy contemporáneo en su paranoica descripción de un bosque de hachas y un abuelo que derriba cada árbol en que escribe el nieto un poema. ¿Alegoría o paranoia? Su segunda novela, *El mundo alucinante,* es una obra maestra de la novela en español. Pero ganó con ella un segundo premio en un concurso local, cuando debía haber ganado primeros premios continentales. Como premio cubano la novela no se publicó nunca en Cuba. Arenas, ansioso como cualquier escritor novel de verse publicado, envió el manuscrito al extranjero y cometió un delito sin nombre. Ahí comenzaron lo que las buenas y malas conciencias de la isla llamaron «su problema». Su problema se hizo grave y luego agudo cuando fue condenado por pederastia, un crimen que parecía de lesa autoridad, y Reinaldo se volvió furtivo por toda la isla y al final, como el acosado protagonista de *Yo soy un fugitivo de una cadena de forzados,* pudo musitar desde la oscuridad: «Ahora... robo».

Pero hubo un final después del final y Arenas se vio, como Edmundo Dantés, peor que Dantés en el castillo de If, prisionero entre asesinos sin nombre y, una vez más, entre homosexuales que no eran locas alegres sino dementes desesperados. El resto de su vida pasa en la otra prisión mayor que es la isla (en un campo para homosexuales, en La Habana homosexual), hasta que en su penúltima fuga se escurrió entre los náufragos del éxodo del Mariel y logró escapar a Miami usando un subterfugio como refugio.

Luego vino su libertad extremada en Nueva York, otros libros, otros amantes y en un último final de su vida venérea fue atrapado por el sida y murió por propia mano para huir de una muerte atroz. En una última foto se ve a Arenas como lo que siempre fue: no un romano sino un indio cubano, con la cara triste del cautiverio de su vida.

Este libro suyo es una novela, que es una memoria, que es una fusión de la ficción y una vida que imitó dolorosamente a la ficción: esa realidad atrofiada que es su última fuga. Una fuga a una sola voz. Sexo y Arenas que confiesa haberse acostado con más de cinco mil hombres en su vida y nadie lo aplaude. (Aplaudieron sin embargo a Georges Simenon cuando confesó haberse acostado con más de diez mil mujeres, ¿era por el número o por el sexo?)

Antes, leyendo o no pudiendo leer los libros libres de Arenas, creía que debió quedarse en Cuba y repetir los logros de *Celestino* y *El mundo alucinante.* Como otras veces, estaba equivocado: Arenas hubiera terminado siendo un prófugo de profesión, no un escritor. Para el escritor que planeó pentalogías y otros proyectos, *Antes que anochezca* es un libro en partes de difícil lectura, no por el estilo sino por el estilete. Escrito en una carrera contra la muerte, chapucero, muchas veces no ya mal escrito sino escrito apenas: dictado, hablado, gritado, este libro es su obra maestra. Nunca habría podido ser escrito en Cuba, ni como funcionario ni como forajido. Algunos lo han comparado con Genet, delincuente delicado, o con Céline, profesional de la amargura: los dos son escritores sin el menor humor. Es por eso que su verdadero par hay que buscarlo en la novela picaresca, porque su protagonista es un pícaro sexual: sin duda un buscón. Pero muchas veces trae a la memoria esa primera novela, obra maestra de la picaresca erótica, que es *El satiricón.* Aunque en el libro de Petronio, donde los pederastas son héroes y los sodomitas heroínas, hay relaciones heterosexuales, aun depravadas o tenues o fugaces pero las hay. En la novela de la vida de Reinaldo Arenas no hay más que penes y penas.

Pero si algo prueban estas memorias es que mientras más arreciaba la persecución contra los homosexuales en Cuba, más auge gozaba (ésa es la palabra) la mariconería, en privado y en público. La isla, al retroceder económica y políticamente, regresaba al imperio de un solo sentido. Los despidos, el acoso y los campos de concentración sólo para homosexuales parecían ser, de creer a Arenas, más un acicate que un alicate. Ahora con los homosexuales enfermos tras las rejas de los infames sidatorios, Castro continúa revelando que el homosexualismo es una obsesión dominante. Sólo las alambradas eléctricas y los barrotes son buenos para los que no se llaman compañeros sino ciudadanos. O, más familiarmente, *enfermitos.*

Sin embargo, contradicciones del comunismo, La Habana es de nuevo un paraíso sólo para turistas ahora y entre las frutas prohibidas que se ofrecen, tanto a Adán como a Eva, están las putas más deliciosas (visibles en *Havana* de Jana Bokova) y los putos más codiciados, jineteros tras los que viajan muchos a la isla. Ambos objetos de placer no lo hacen por dinero, que nada puede comprar, sino por una cena, por la entrada a un cabaret, para pasar la noche del *nightclub* a la cama de un hotel sólo para extranjeros. Es la única forma de burlar el *apartheid* castrista. A menos, claro, que se sea un informante de la variante tropical de la Seguridad del Estado y así pasar del éxtasis a la *Stasi*.

Sobre una tumba, una rumba

Detesto escribir notas necrológicas de amigos (nunca lo hago con los enemigos: el placer de ignorarlos es bastante), pero es un poco como cerrarles los ojos. Severo Sarduy fue un amigo desde los años cincuenta. No lo conocí en la revista Ciclón con que Rodríguez Feo liquidó con un golpe de viento (el logo de *Ciclón* era un Eolo soplando) a *Orígenes*. Pero sí lo conocí en la noche habanera paseando con Miriam Gómez por La Rampa entonces rampante. Severo era delgado en extremo, cimbreante como una caña pensante. Luego publiqué sus primeros cuentos en *Carteles* cuando ya hacía rato que Severo era un niño prodigio. Después, cuando dirigía *Lunes,* publiqué sus ensayos sobre pintura cubana, que le sirvieron para ganar una beca en París. Se fue a fines de 1959 declarando que volvería a pasear su imagen de nuevo romántico (todavía exhibía su cabellera negra con orgullo) por La Habana, pero nunca volvió. Fui tal vez el causante de que su estancia en París se convirtiera en exilio. Paseando por los jardines del Louvre en octubre de 1962, me dijo que sus estudios históricos (se especializó en el retrato Flavio) terminaban y planeaba regresar a Cuba. Le dije que sería un error, un horror. Acababa de saber que la persecución de homosexuales se sistematizaba en toda la isla: sería una víctima propicia. No podía sospechar que sería un día una víctima renuente, como Reinaldo Arenas: un mal íntimo, y no Fidel Castro en la distancia, exterminará a todos los escritores del exilio.

Después nos vimos a menudo: en París, en Barcelona y en Madrid. También en Londres, donde al salir de un restaurante y encontrarnos de pronto con Rock Hudson, Severo abrió la boca desmesurado, pero no pudo decir nada. De súbito arrancó a correr y recorrió toda la manzana, para volver a ver al actor, que de todas maneras ya había desaparecido. Severo era la aparente frivolidad, pero dentro tenía un escritor extraordinario y, lo que es más difícil, un crítico literario de una sagacidad tan aguda como su capacidad de expresión. Con él muere en el exilio (como murió en Cuba con Lezama) la tradición tan cubana del poeta culto que comenzó con José María Heredia a principios del pasado siglo, se continuó con José Martí y culminó con Julián del Casal a fines de siglo. Costó muchos años a Severo conseguir su cultura y, en su devoción por Lezama, una expresión a la vez cubana y erudita.

Murió ahora de una enfermedad que entre sus síntomas públicos produce un secreto a voces. Pero Severo sabía que agonizaba y sin embargo compuso uno de sus libros más ingeniosos, *Corona de las frutas,* décimas a la vez populares y culteranas, como las letrillas de Góngora precisamente. Para alguien herido de muerte, este *tour de force* no puede ser más divertido. Como Lezama describió la muerte de Casal, extrañamente asesinado por un chiste (tuberculoso *in extremis,* al reír, la carcajada se le convirtió en una hemoptisis: la sangre que no cesa), en que el poeta dijo del otro poeta que había «muerto con su tos alegre», quiero contar un cuento de Severo que lo retrata de cuerpo entero.

Corrían los días de *les Événements* en 1968. Para algunos eran divertidos, pero no para los exiliados cubanos en París, que habían huido de una revolución para sentirse atrapados en una revuelta. Estaban, entre otros, Néstor Almendros y Severo Sarduy sentados en el café Flore, el favorito del escritor y el cineasta, cuando Néstor le preguntó a Severo qué iba a hacer «si ganaban». Severo respondió: «Quedarme y adaptarme». Néstor no lo podía creer: nunca soportó el oportunismo, así lo dijo, y Severo, con la misma voz, pero con una inflexión cubana, respondió: «¡Qué va, chica! Estaba bromeando. Si yo soy una gusana del carajo».

A llorar a Papá Montero.
¡Zumba, canalla rumbero!
Ese muerto se nos val cielo.
¡Zumba, canalla rumbero!

(Rumba tradicional)

Vidas únicas

Lorca hace llover en La Habana*

La primavera de 1930 (que era en Cuba verano como siempre: una «estación violenta», como advierte el poeta Paz) Federico García Lorca viajó a La Habana por mar, la única vía posible para llegar a la isla entonces. Por la misma época Hart Crane, poeta americano, homosexual y alcohólico, viajó de La Habana a Nueva York —y no llegó nunca—. En medio del viaje se tiró al mar y desapareció para siempre, dejando detrás como cargo un largo poema neoyorquino y varias virulentas metáforas como testimonio de su escaso paso por la tierra. Lorca estaba en su apogeo. Acababa de terminar *Poeta en Nueva York* con su espléndida «Oda a Walt Whitman» y emprendía la huida de Nueva York. No voy a comentar aquí el libro lorquiano, que es un largo lamento lúcido, sino que tocaré sólo su coda musical y alegre, ese «Son de negros en Cuba», que transformó la poesía popular cubana y también la visión

---

* Escrito en Londres y leído en Madrid el 20 de mayo de 1986 en el Instituto de Cooperación Iberoamericana con motivo del 50 aniversario del asesinato del poeta.

americana de Lorca. Al revés de Crane, Lorca viajó de las sombras al sol, de Nueva York a La Habana.

Por ese tiempo, aparte de Crane más lamentable que lamentado, visitaron a Cuba escritores y artistas que luego tendrían tanto nombre como Lorca. Algunos vivieron en La Habana «con días gratis». Nunca, por suerte o para desgracia, se encontraron con Lorca. Ni en La Habana Vieja ni en El Vedado ni en La Víbora o Jesús del Monte, ni en Cayo Hueso ni en San Isidro ni en Nicanor del Campo, que no se llamaba así todavía.

Ernest Hemingway vivía en La Habana Vieja, en un hotel cuyo nombre le habría gustado a Lorca, Hotel Ambos Mundos. Allí escribió Hemingway una novela de amor y de muerte, de poco amor y de mucha muerte, cuyo inicio ofrece una vista de una ciudad de sueño y de pesadilla.

> *Ya ustedes saben cómo es La Habana temprano en la mañana, con los mendigos todavía durmiendo recostados a las paredes de los edificios: antes de que los camiones traigan el hielo a los bares.*

La novela se titula *Tener y no tener* y es de una violencia que Lorca nunca conoció. En todo caso no antes de su final en Granada:

> *Atravesamos la plaza del muelle, dice Hemingway, hasta el café La Perla de San Francisco a tomar café. No había más que un mendigo despierto en la plaza y estaba bebiendo agua de la fuente. Pero cuando entramos al café y nos sentamos, los tres estaban esperando por nosotros.*

Es posible que Lorca, en 1930, hubiera conocido de vista a uno de esos tres que ahora

> *salían por la puerta, mientras yo los miraba irse. Eran jóvenes y bien parecidos y llevaban buena ropa: ninguno usaba sombrero y se veía que tenían dinero. Hablaban de dinero, en todo caso, y hablaban la clase de inglés que hablan los cubanos ricos.*

Por esa época, en ese país, Lorca debió vestir así y llevar el pelo envaselinado, aplastado. Moreno, como era, para Hemingway hubiera sido un niño rico cubano y sabría qué le pasaba a un niño rico cubano cuando jugaba juegos de muerte:

> *Cuando salieron los tres por la puerta de la derecha; vi un coche cerrado venir a través de la plaza hacia ellos. Lo primero que ocurrió fue que uno de los cristales se hizo añicos y la bala se estrelló entre las filas de botellas en el muestrario detrás a la derecha. Oí un revólver que hizo pop pop pop y eran las botellas que reventaban contra la pared...*
>
> *Salté detrás de la barra a la izquierda y pude mirar por encima del borde del mostrador. El coche estaba detenido y había dos individuos agachados allí. Uno de ellos tenía una ametralladora y el otro una escopeta recortada. El hombre de la ametralladora era negro. El otro llevaba un mono de chófer blanco. Uno de los muchachos le pegó a una goma del coche y como a cosa de diez pies el negro le dio en el vien-*

tre... Trataba de ponerse de pie, todavía con su Luger en la mano, lo que no podía era levantar la cabeza, cuando el negro tomó la escopeta que descansaba junto al chófer y le voló un lado de la cabeza a Pancho. ¡Tremendo negro!

Lorca no conoció esa terrible violencia cubana ni a esos negros habaneros, esbirros excelentes. Sus negros fueron sonadores del son, reyes de la rumba. Lorca tenía por costumbre recorrer los barrios populares de La Habana, como Jesús María, Paula y San Isidro, y se llegaba a veces hasta la Plazoleta de Luz, al muelle de Caballería ahí al lado y aun al muelle de la Machina, donde ocurre la acción inicial de *Tener y no tener*. Pero nunca conoció esa noche obscena que amanecía con los mendigos dormidos y los niños ricos muertos. Aunque al final, como Hemingway, supo lo que era una muerte violenta al amanecer.

Otro americano que vino a La Habana en esos primeros años treinta para dejar una estela de arte fue el fotógrafo Walker Evans: «Desembarqué en La Habana en medio de una revolución». ¡Estos americanos no sé cómo se las arreglan para caer siempre en medio de una revolución en Cuba! Como Evans estuvo en La Habana en 1932 y el dictador Machado no cayó hasta 1933 para ser sustituido por Batista meses después, Evans no pudo haber caído en medio de ninguna revolución, excepto las revueltas que da el ron *pelión*. Pero Evans insiste: «Batista tomaba el poder» y Evans tomaba Bacardí. «...Yo tuve suerte porque tenía unas cartas de presentación que me llevaron hasta Hemingway. Y lo conocí. Pasé un tiempo estupendo con Hemingway. Una borrachera cada noche.» ¿Qué les dije? Es la revolución del ron llamada Cubalibre. Dos de ron y una de Coca-Cola. Agítese. Da para dos. Hemingway, según Evans, «necesitaba una orientación». Se explica. Ésos son los años inciertos de *Tener y no tener*, su primera novela cubana. Pero Evans sí sabía dónde iba y sus fotos de La Habana son, como «Son de negros en Cuba», un romance gráfico en que los negros de La Habana se revelan como donosos dandies de blanco. Ése es un testimonio que no puedo traerles esta noche, ni siquiera puedo intentar describir estas fotos maestras que ahora pertenecen a los museos. Pero hay un negro de dril cien blanco, de sombrero de pajilla y zapatos recién lustrados por el limpiabotas que se ve al fondo. Bien vestido con corbata marrón y pañuelo haciendo juego en la pechera, dandy detenido para siempre en una esquina de La Habana Vieja, junto a un estanco de diarios y revistas, su mirada aguda dirigida hacia un objeto oculto por el marco de la foto que ahora sabemos que es el tiempo, que hace de la fotografía un retrato, una obra de arte, cosa que *Tener y no tener* nunca fue, nunca será y que ese son sinuoso de Lorca es. Es es es.

Pero La Habana no era una ciudad ni tan violenta ni tan lenta.

Un contemporáneo de Lorca, el escritor Joseph Hergesheimer, tan americano como Hemingway y como Evans, dice de La Habana en su *San Cristóbal de La Habana*, uno de los libros de viaje más hermosos que he leído:

> *Hay ciertas ciudades, extrañas a primera vista, que quedan más cerca del corazón que del hogar... Acercándome a La Habana temprano en la maña-*

na... mirando el color verde de plata de la isla que se alza desde el mar, tuve la premonición de que lo que iba a ver sería de singular importancia para mí... Indudablemente el efecto se debe al mar, al cielo y a la hora en que tuvo lugar mi presciencia... La costa cubana estaba ahora tan cerca, La Habana tan inminente, que perdí el hilo de mi historia por un nuevo interés. Podía ver, baja contra el filo del agua, una fila de edificios blancos, a esa distancia puramente clásicos en su implantación. Fue entonces que tuve mi primera premonición sobre la ciudad hacia la que suavemente progresábamos. Iba a encontrar en ella el espíritu clásico no de Grecia sino de un período algo tardío. Era la réplica de esas ciudades imaginarias pintadas y grabadas en una rica variedad de cornisas de mármol, dispuestas directamente hacia el mar calmo. Había ya perceptible en ella un aire de irrealidad que marcaba la costa que vio el embarque hacia Citerea... * *Nada me habría hecho más feliz que una realización semejante. Era precisamente como si un sueño cautivante se hubiera hecho sólido... Oí entonces la voz de La Habana. Una voz en staccato, notable porque nunca, según supe luego, se hundía en la calma, sino que cambiaba a la noche para un clamor nada diferente y no menos perturbador...*

---

* El traductor en una nota al pie aclara que Citerea era una isla en el Peloponeso donde se rendía culto a Afrodita. La adoración fue tal que otro nombre para Afrodita fue Citerea. A Afrodita la conocemos sus fieles devotos con el más perturbador nombre de Venus, diosa del amor entre los latinos.

Éstas son visiones poéticas, no históricas de La Habana. Pero —un momento— hay una segunda —o tal vez tercera— opinión sobre esta Habana *ancien régime*. Encontré esta descripción en la *Enciclopedia Británica*, a veces nuestra contemporánea:

> *Metrópoli capital y comercial y el mayor puerto de Cuba. La ciudad, que es la más grande de las Antillas y una de las primeras ciudades tropicales del Nuevo Mundo, queda en la costa norte de la isla, hacia su extremo occidental. Su situación en una de las mejores bahías del hemisferio, la hizo comercial y militarmente importante desde tiempos coloniales y es el mayor factor responsable de su crecimiento constante desde los 235.000 habitantes que tenía en 1899 a los 978.000 de 1959. Otros factores que contribuyeron a su crecimiento son su clima salubre y su pintoresca situación y esos alegres entretenimientos que la hicieron una vez meca del turismo. La temperatura media anual varía sólo en diez grados Celsius con una media de 24 grados. Aunque muchas mansiones de los barrios residenciales han sido expropiadas, desde un punto de vista físico la vista no es menos impresionante. El aspecto de La Habana desde el mar es espléndido.*

Ésa fue La Habana que vio Lorca. Allí compuso una de sus piezas más espontáneas y libres. Es una carta a sus padres en Granada publicada en Madrid hace poco. Lorca habla de sus éxitos como conferenciante, bien reales, y de su riesgo imaginario al presenciar una cacería de caimanes y participar en ella a sangre fría y a la vez enardecido. Afortunadamente Lorca no era cazador y nos exime del conteo de fieras muertas que habría hecho Hemingway. Tal vez a Lorca le entristecería saber que en esa región de Cuba, la ciénaga de Zapata, donde vio incontables cocodrilos, había *circa* 1960, apenas treinta años después de su relato, un encierro que era sólo una cerca baja de madera, donde dormía al sol un solo caimán inmóvil, como si estuviera disecado ya y fuera indiferente a su suerte. Un letrero al lado suplicaba al visitante: «Por favor, no tiren piedras al saurio».

Lorca ve en La Habana, ¿cómo no habría de verlas?, a las que él llama «mujeres más hermosas del mundo». Luego hace de la cubana local toda una población y dice: «Esta isla tiene más bellezas femeninas de tipo original...» y enseguida la celebración se hace explicación: «...debido a las gotas de sangre negra que llevan todos los cubanos». Lorca llega a insistir: «Cuanto más negro, mejor», que es también la opinión de Walker Evans, fotógrafo, para quien un negro elegante es la apoteosis del dandy. Finalmente Lorca hace un elogio de la tierra natal: «Esta isla es un paraíso». Para advertir a sus padres: «Si me pierdo que me busquen... en Cuba». La carta termina con una hipérbole extraordinaria: «No olvidéis que en América ser poeta es algo más que ser príncipe». Desgraciadamente no es verdad ahora, tampoco era verdad entonces. No en Cuba al menos. He conocido a poetas pobres, poetas enfermos, poetas perseguidos, poetas presos, poetas moribundos y muertos finalmente. Eran todos tratados no como príncipes sino como parias, como apestados, sufriendo la lepra de la letra. Tal vez la letra con sangre entra, pero con sangre sale seguro. Para Lorca La Habana fue una fiesta y así debía ser. No hay que contaminar su poesía con mi realidad.

En su visita a Buenos Aires, Borges acusó a Lorca de un crimen de lesa ligereza. Lorca le dijo al joven Borges que había descubierto un personaje crucial, en el que se cifraba el destino de la humanidad entera, un salvador. ¿Su nombre? ¡Mickey Mouse! Es extraño que Borges, con su sentido del humor, no descubriera que detrás de la declaración de Lorca no había más que un chiste, esas salidas de un poeta con sentido cómico de la vida. A Borges la broma se le hizo bromuro: Lorca quería asombrar, *pour épater le Borges*. En La Habana, por el contrario, Lorca deleitó a sus amigos habaneros, fanáticos del cine mudo, con su pieza «El paseo de Buster Keaton», compuesta sólo hacía dos años. Buster Keaton no es aquí un redentor que trata de volver a Belén en su segundo viaje. Pero tampoco es el sollozante Mickey Mouse, con sus ojos siempre abiertos, sus guantes de cuatro dedos y sus zapatos de ratón con botas. Mickey es insufrible, Keaton es insuperable. El lema de esta piececita es «En América hay ruiseñores», que es otra manera de decir que los poetas pueden ser príncipes. Lorca en La Habana, al no querer asombrar a nadie, asombró a todos.

Un autor anónimo de entonces describe la estancia de Lorca en La Habana como «el agitado ritmo de su existencia habanera, llena de agasajos, de charlas y de homenajes y abrumada por la dulce tiranía de la amistad». Pero Lorca no estuvo solamente en La Habana. Tanto declaró Lorca en La Habana que iría a Santiago, que por poco no va nunca. Hay todavía mucha gente que duda si Lorca fue a Santiago de Cuba de veras. Ésos son los que consideran la poesía como una acción metafórica. Hay que señalar, con un hito de carreteras, que Lorca, después de varias tentativas falsas, fue por fin a Santiago. No en un coche de aguas negras ni con la rubia cabeza de Fonseca, pero en Santiago de Cuba se hospedó en el Hotel Venus. Lorca era el poeta del amor. Los que duden lean su «Casada infiel». Hay pocos textos tan eróticos escritos en español.

Como poeta Lorca fue una definitiva influencia para la poesía cubana, que después del abandono modernista iniciaba una etapa de cierto populismo llamado en el Caribe negrismo. Era una visión de las posibilidades poéticas del negro y sus dialectos un poco ajena, enajenada. Exótica sería la palabra, sólo que exótico en Cuba es un marino escandinavo, no un estibador de los muelles. Los mejores poetas de esa generación, que tendrían la edad de Lorca, cultivaban el negrismo como una moda amable y amena, otros eran como Al Jolsons de la poesía: blancos con cara negra. El poema devenía así una suerte de betún. La breve visita de Lorca fue un huracán que venía no del Caribe sino de Granada. Su influencia se extendió por todo el ámbito cubano. Esa clase de poesía estaba hecha para ser recitada, con la boca cantando coplas. Ésa es una de las magias de la poesía (y de esa otra forma de poesía, las letras de canciones) que exige a la vez la lectura silenciosa y el recitado en voz alta y aun soporta la declamación. La poesía, entonces, es otra música, como quería Verlaine: «*De la musique avant toute chose*». Lorca en su «Son de negros en Cuba» musita una música exótica que se hace enseguida familiar. «Iré a Santiago» es efectivamente el estribillo de un son. Como en la *Obertura cuba-*

na de Gershwin, la música es familiar pero la armonía es exótica.

Lorca llegó a La Habana por el muelle de la Machina. Hizo el viaje al revés de Crane: venía de las tinieblas a la luz, incluso al deslumbramiento poético. El tiempo que vivió en Nueva York, aunque escribió allí *La zapatera prodigiosa*, pieza llena de sol andaluz, también compuso su tenebroso *Poeta en Nueva York*, que comienza con una premonición, «Asesinado por el cielo» y termina con su «Huida de Nueva York». Casi inmediatamente, en el libro y en la vida, el poeta compone su «Son de negros en Cuba», en que invoca como un sortilegio a la luna: «Cuando llegue la luna llena/Iré a Santiago de Cuba». Su poema, que tiene la forma poética del son, brota aquí como una flor: natural, espontáneo y excepcionalmente bello. El poeta huye de la civilización a la vida nativa, naturaleza exótica. Casi como Gauguin. Aunque me parece estar oyendo al Shakespeare de *La tempestad:*

La isla está llena de ruidos.
Sonidos y aires dulces,
que dan deleite y nunca dañan.

Lorca ahora quiere completar el bojeo de esa isla:

Cantarán los techos de palmera,
Iré a Santiago...
Iré a Santiago...
Con la rubia cabeza de Fonseca
Iré a Santiago
Y con el rosal de Romeo y Julieta...

¡Oh Cuba! ¡Oh ritmo de semillas secas!
¡Oh cintura caliente y gota de madera!
¡Arpa de troncos vivos, caimán, flor de tabaco!

Hay un son tradicional que canta:

Mamá yo quiero saber
de dónde son los cantantes...

Lorca sabía: esos cantantes, como el son, venían de Santiago de Cuba. Explicar poemas es tarea de retóricos, pero quiero mostrar cómo Lorca hacía un poema de lo obvio para cubanos que se volvía poesía para todos. Los «techos de palmera» son los techados de los bohíos, vivienda tradicional campesina hecha toda con hojas, troncos y fibras de la palma real. Nadie en Cuba llamaría a la palma, palmera, ni siquiera en un poema. «La rubia cabeza de Fonseca», que tanto intrigó a tantos, no pertenece a ninguno de sus amigos cubanos, sino al fabricante de puros de ese nombre, cuya cabeza roja aparece en los cromos de su marca. «El rosal de Romeo y Julieta» no es esa espesura donde Romeo da a Julieta aquello que le dio ella el otro día, sino otra marca de habanos. El rosal es de una litografía. «Las semillas secas» son por supuesto las maracas de la orquesta de son y la «gota de madera» es el instrumento musical habanero llamado claves. Espero no tener que explicar qué es una «cintura caliente».

Este poema escrito en La Habana es de una luminosidad como sólo se ve en La Habana. Lo atestiguan el fragmento de Hergesheimer, que es un friso de un edificio tropical y, sobre todo, las fotografías de Walker Evans con sus fruterías al sol, sus mujeres que adornan un patio y las abigarradas fachadas de los cines de barrio que invitan siempre al viaje. En esa época risueña y confiada, ida con el viento de la historia, Lorca se deslumbró con La Habana y deslumbró también a los habaneros, que hace rato que estaban acostumbrados a los fulgores de su ciudad tan capital como un pecado. Hay todavía algunos que recuerdan a Lorca como si lo estuvieran viendo, viviendo. Uno de estos habaneros es una habanera, Lydia Cabrera, vecina de Miami y decana de los escritores cubanos en el exilio. Ella recuerda tanto a Lorca como Lorca la recordaría a ella, a quien dedicó su memorable «Romance de la casada infiel». Lorca, siempre fascinado por los negros, escribió: «A Lydia Cabrera y su negrita».

Lydia, que dos días atrás cumplió 86 años, recuerda a Lorca desde el principio. Lo conoció en casa de otro cubano, José María Chacón y Calvo, que fue luego instrumento del viaje de Lorca a La Habana. «¡Qué gracia tenía!», dice Lydia. «¡Qué vitalidad de criatura!» Hasta que se fue ella de regreso a La Habana veía a Lorca diariamente en ese Madrid que, al revés de La Habana, no se ha perdido sino se ha ganado. Fue Lydia la intermediaria para que Lorca y su gran intérprete Margarita Xirgu se conocieran. Lorca no había escrito entonces más que una obra de teatro, *Mariana Pineda*, que la Xirgu estrenó. Lorca al celebrar la ocasión dedicó a Lydia el poema que más le gustara. El poema (y tal vez la dedicatoria) escandalizó a uno de los hermanos de Lydia, asustado acaso por toda la imaginería erótica que Lorca despliega desde el primer verso hasta la revelación de esta virgen con marido. Ella, Lydia, no se inmutó y todavía es el poema de Lorca que prefiere. Lydia recuerda que, después de cinco minutos de conversación, quedó hechizada (la palabra es suya, ella que tanto sabe de hechizos) con Lorca, a quien llamó siempre Federico.

Dice Lydia Cabrera del final de Lorca: «Cuando supe las condiciones trágicas de su muerte, pensé con consternación el horror que debió sentir Federico. Él era tan delicado y esa muerte tan horrible debió causarle segundos inimaginables de horror. Fue una muerte imperdonable. Pensé mucho, muchísimo en él». Todos los que conocieron a Lorca en La Habana, y aun los que no lo conocieron, lamentaron su muerte. De su asesinato tiene Lezama Lima una curiosa opinión. No es una versión política sino poética de la muerte del poeta: «Lo que mató a Lorca fue la grosería». Críptico más que crítico, Lezama añade: «No la política».

Ése fue el fin. En el principio Lorca llegó a La Habana y sorprendió a todos desde la presentación: «Soy Federico García». Escoger su primer apellido como su nombre fue objeto de comentarios. Alguien preguntó: «¿Están ustedes verdaderamente seguros que ese García es Lorca?» Así con tantos García que había en Cuba, desde el general de las guerras de independencia Calixto García hasta los políticos más vulgares, muchos cubanos se sintieron emparentados con Lorca.

Vivía en La Habana entonces el poeta colombiano Porfirio Barba Jacob, hombre de sucesivos y sonoros seudónimos. Antes se había llamado con su nombre propio, un oscuro Osorio, y luego había sido Ricardo Arenales, Maín Ximénez y finalmente acertó con ese dos veces raro Porfirio Barba Jacob. Todos estos nombres y ese hombre forman un considerable poeta modernista, raza en vías de extinción. Barba Jacob era famoso en La Habana por un verso y un anverso. El escritor declaró en un poema: «En nada creo, en nada» y el hombre era un poeta pederasta. Muy feo, lo llamaban en su cara, por su cara «el hombre que parecía un caballo».

Barba Jacob añadía a esos inconvenientes para el amor otro más. Le faltaba un diente al frente que se empeñaba en sustituir siempre por un diente postizo hecho de algodón o de papel pero no de ceniza, como quieren algunos. Su conversación comenzaba en la tarde en la Acera del Louvre, en el véspero de que habló Hergesheimer, pero según avanzaba la noche aquel diente más blanco que los otros desaparecía para reaparecer llevado por la lengua no a su meta sino a desotra parte en la boca. De pronto Jacob tenía un diente brillando blanco sobre su labio lívido o volaba para posarse en la barba de Barba. El poeta creía que su conversación era de veras fascinante, a juzgar por la cara de sus oyentes. Pero la fascinación venía de aquel diente ambulatorio. O mejor, náufrago, marinero de blanco que navegaba en la balsa de su lengua, entre un Caribdis dental y la Escila de su encía.

La mención de un marinero, aun metafórico, nos conduce al gran transporte amoroso de Barba. Se dice que el poeta de la decadencia modernista encontró su marinero cuando, literalmente, «hacía el litoral». Litoralmente ambos se encontraban en los muelles. El marino, ni corto ni perezoso (en realidad era alto y ágil), se hizo amante del poeta pederasta y pesimista (recuerden, por favor, su divisa: «En nada creo, en nada») y para colmo pobre. Para su mal era 1930 y cuando se paseaba Barba con su marinero recién pescado, se atravesó en su camino Federico García, que era todo lo contrario del colombiano: graciosamente andaluz y para colmo famoso. Lorca procedió ahora, con todo su encanto y todos sus dientes brillando en su cara morena, a auspiciar al marinero escandinavo que recaló en el trópico. Barba perdió su diente para siempre.

Alrededor de 1948, a casi veinte años del encuentro amoroso con Lorca, todavía era posible ver a este marino seudosueco caminando la noche, Prado arriba y Prado abajo, como un náufrago de otra época. Su ropa era, sí, azul marino y llevaba un paletó que hacía alucinante la noche tropical. Un si es no es rubio, *ancora* con el áncora al cuello, tal vez noruego, tal vez gallego, pasaba como una sombra, sin ver a nadie, como si nadie lo viera. Pero invariablemente peatones y poetas que se detenían en la esquina de Prado y Virtudes, donde comenzaba el barrio menos virtuoso de La Habana, miraban hacia el parapeto del paseo central para ver a este marino varado en tierra a quien cantó Barba: «Hay días en que somos tan lúbricos, tan lúbricos», para suspirar: «Hay días en que somos tan lóbregos, tan lóbregos». Ahora, es decir entonces, un índice irreverente venía a indicar y una voz soez venía a decir: «¡También ése!» La risa era como una brisa que movía el diente de algodón de Porfirio Barba Jacob, que en nadie creía, en nadie.

La culminación de la visita de Lorca a La Habana ocurrió cuando le ofrecieron finalmente una comida de despedida, un banquete, un almuerzo en el comedor del Hotel Inglaterra en que terminaba la Acera del Louvre, a veces llamada del *Livre*. Allí estaban Lorca y sus discípulos futuros. Estaba también La Habana literaria, la que no escribía poemas pero estaba dispuesta a escribir prosa como Lorca versos. A través de las puertas abiertas del hotel (el aire no era acondicionado todavía) se veían las innúmeras columnas blancas al sol del portal, la Acera del Louvre y el parque al fondo con la estatua central soleada y sólida de otro poeta, José Martí, a quien mató, como a Lorca, esa bala con nombre que siempre viene a matar a los poetas cuando más falta hacen.

De pronto, como ocurre en el trópico, comenzó a llover. A llover de veras, sin aviso, sin esperarlo nadie, sin tregua. El agua caía por todas partes de todas partes. Llovía detrás de las columnas impávidas, llovía sobre la acera, llovía sobre el asfalto y sobre el cemento del parque y sus árboles que ya no se veían desde el hotel. Llovía sobre la estatua de Martí y su lívido brazo de mármol, la mano acusadora y el índice de cuentas eran líquidos ahora. Llovía sobre el Centro Gallego, sobre el Centro Asturiano y sobre la Manzana de Gómez y aún más allá, en la placita de Albear, sobre la fuente de los mendigos y sobre la fachada del Floridita donde Hemingway solía venir a beber. Llovía sobre la Citerea de Hergesheimer y sobre el paisaje blanco y negro de Walker Evans. Llovía en toda La Habana.

Mientras en el comedor los comensales devoraban el almuerzo cálido, indiferentes a la lluvia que era cristal derretido, espejo húmedo, cortina líquida, Lorca, sólo Lorca, vio la lluvia. Dejó de comer para mirarla y de un impulso saltó, se puso de pie y se fue a la puerta abierta del hotel a ver cómo llovía. Nunca había visto llover tan de veras. La lluvia de Granada regaba los cármenes, la lluvia de Madrid convertía el demasiado polvo en barro, la lluvia de Nueva York era una enemiga helada como la muerte. Otras lluvias no eran lluvia: eran llovizna, eran orballo, eran rocío comparadas con esta lluvia. «Y todas las cataratas de los cielos fueron abiertas», dice el Génesis, y el Hotel Inglaterra se hizo un arca y Lorca fue Noé. ¡Había gigantes en la poesía entonces! Lorca siguió en su vigía, en su vigilia (no habría siesta esa tarde), mirando llover solo, viendo organizarse el diluvio delante de sus ojos.

Pero pronto notaron su ausencia del banquete y vinieron de dos en dos solitos y solícitos a hacerle ruidoso corro, como aconteció a Noé en su zoológico. Ya Lorca había escrito que los cubanos hablan alto y más alto hablan los habaneros, los hablaneros. Lorca se llevó un dedo a los labios en señal de silencio respetuoso ante la lluvia.

El ruido del banquete había terminado en el estruendo del torrente. Por primera vez para muchos periodistas, escritores y músicos que se reunieron en ese simposio sencillo, Federico García Lorca, poeta (poeta como se sabe quiere decir en griego *hacedor*), había hecho llover en La Habana como nadie había visto llover antes, como nadie volvió a ver después.

Capa, hijo de Caissa

«¿A dónde vas tan de prisa?»
«Al café de Flore. Echan una partida Céline y Henry Miller»
«¡Bah! Escritores menores»
«Pero es que juegan contra Capablanca»
«¿A qué esperamos?»

La primera vez que vi a Capablanca fue la última. Mi madre me llevó a verlo. Mi madre, tengo que decirlo, no tenía idea de lo que era el ajedrez pero sí sabía quién era Capablanca. Una tarde casi a primera noche nos arrastró a mi hermano y a mí a ver a Capablanca. Salimos después de comer y llegamos a nuestro destino, el Capitolio Nacional, cuando casi era de noche. El enorme edificio blanco estaba iluminado para una fiesta, a la que íbamos. Subimos la alta, ancha escalinata de granito hasta el salón de los Pasos Perdidos (buen nombre, lástima que fuera prestado) y allí en medio estaba Capablanca en su posición de eminente jugador de ajedrez que ha sufrido un jaque mate. Cuando nos acercamos, con reverencia, pude ver todo lo que se podía ver de Capablanca: sólo su rostro. Estaba terriblemente pálido, gris más bien y en la nariz y en los oídos tenía torpes tapones de algodón. Capablanca se veía inmóvil y sin edad: estaba muerto, era evidente, aunque era un inmortal.

El catafalco, palabra nueva, quedaba justo encima del diamante en el centro del enorme salón donde se perdían nuestros pasos. En medio del medio, central, estaba el diamante, protegido por un grueso cristal que aseguraba su posesión y al mismo tiempo aumentaba su tamaño y su valor. El diamante aparecía como muchas mujeres, a la vez atractivo e inaccesible. Era, lo han adivinado, una versión cubana del colosal Kohinoor que Raffles, sus manos de seda nunca sobre la piedra trunca, soñó con robar. El diamante, además, no sólo era una piedra preciosa sino un mojón miliar: marcaba el kilómetro cero de la carretera central, por orden del general Gerardo Machado, tirano de turno. Ahora, joya sobre joya, el ataúd en que descansaba Capablanca, su estuche, se posaba, pesado, con su carga preciosa sobre el duro diamante popular y la acumulación de riquezas era casi insoportable para un niño que trataba de comprender qué significaba tanta veneración. Mi madre, una loca por la cultura, dijo definitiva: «Es una gloria de Cuba». No dijo fue sino *es*. Capablanca es.

La vida de Capablanca comienza donde empieza el ajedrez.

Su juego es su vida.

Jugadores de ajedrez, ¡apártense!

José Raúl Capablanca y Graupera nació en La Habana el 18 de noviembre de 1888, hijo de un militar español y de una dama catalana. Acaban de cumplirse pues cien años de su nacimiento. Como dijo el gran Golombek: «Todo en Capablanca fue legendario, excepto que por supuesto se sabe que nació». Según cuenta la leyenda, a los cuatro años Capa (su apodo favorito) se burló de su padre que jugaba al ajedrez porque hizo uso ilegal de un caballo. No se refería Capita a un «animal solípedo que se domestica con facilidad y es útil al hombre» (y a veces a la mujer también, aunque el Real Diccionario de la Real Academia no lo especifica), sino a la pieza de ajedrez que se llama caballero *(knight)* en inglés y saltarín *(Springer)* en alemán. Nunca nadie dio lecciones de ajedrez al precoz jugador.

La versión de Capablanca: «No tenía cinco años todavía cuando, por accidente, entré a la oficina de mi padre y lo encontré jugando con otra persona. No había visto nunca un juego de ajedrez: las piezas me interesaron y al día siguiente volví a verlos jugar. Al tercer día, mientras miraba, mi padre, muy pobre en las aperturas, movió un caballo de un escaque blanco a otro del mismo color. Aparentemente su oponente, que no era mejor, no se dio cuenta. Mi padre ganó y yo le dije que era un tramposo y me reí de él. Después de un regaño casi me sacó de la habitación, pero le pude mostrar lo que había hecho. Mi padre me preguntó qué sabía yo de ajedrez. Le contesté que lo suficiente para derrotarlo: me dijo que era imposible, considerando que ni siquiera sabía colocar las piezas. Probamos con las conclusiones y yo gané. Así empecé».

Capablanca, padre, entre otros, se quedó mudo de asombro y luego clamoroso de entusiasmo. Pepito, así lo llamaba su madre, derrotó a su padre, primero, a los amigos de su padre después y, aunque se le prohibió que jugara en público, a los once años derrotó al futuro campeón de Cuba, Juan Corzo, que en un curso es recurso aparece en todas las historias de ajedrez sin haber ganado sino perdido. «Capa bate a Corzo» es, en efecto, una de las partidas más memorables completadas por un niño prodigio y los dos, como Napoleón y Wellington, hicieron historia al ganar y al ser derrotados.

Capablanca fue un sobreviviente desde niño: otro hermano murió muy joven. La trama que quiere que el ajedrez tenga una motivación edípica (advenedizo mata al rey) queda aquí coja. Fue el hermano mayor muerto el que debió retar al padre. Capablanca deviene un Edipolipo. La teoría freudiana que explica el ajedrez en términos del complejo de Edipo (que no es, *Edipo Rey*, más que una obra de teatro griega con poco público) siempre me ha parecido freudulenta. Sin embargo es cierto que Capablanca aprendió solo a jugar ajedrez sólo para vencer a su padre —y lo ha conseguido. El verdadero Capablanca, el viejo, ha sido obliterado hasta el olvido. Cuando se dice Capablanca todos pensamos en el jugador al que se conocía como la «máquina de jugar ajedrez».

Cuatro meses después de derrotar a Corzo, que era ahora campeón nacional, Capablanca participa en el primer campeonato cubano y queda en cuarto lugar. Corzo alienta a Capa para que se haga jugador profesional, pero papá dice que no. Corzo sin embargo vive lo suficiente para ver a Capablanca coronado campeón internacional del juego de los reyes y los peones, y muere sólo cuatro años antes que Capa. Un industrial cubano (ya en Cuba republicana) se ofrece a costear la educación del joven maestro. Capablanca se enrola en la Universidad de Columbia que queda, afortunadamente para él, en Nueva York, donde también está el Club de Ajedrez de Manhattan. Allí pasa Capa el tiempo que le dejan libre las muchachas de Manhattan.

En el Club de Ajedrez es donde el prodigio que se hizo amateur en Nueva York fue profesional: *Capablanca from Havana*. Aquí fue donde Capablanca se llamó Capa, nombre que le divertía porque era más corto que el propio y lo hacía, como jugador, el igual del personaje de Chaucer que sonreía pero llevaba una daga bajo la capa. Capa tenía debajo un alfil o su pieza preferida, el peón envenenado. Aquí jugó cientos de juegos con los principales jugadores de Nueva York. Fue aquí donde jugó también contra Lasker, Mr. Emanuel, el campeón mundial de origen alemán de origen judío y a quien muchos señalan como el mejor jugador de todos los tiempos —un poco por debajo de Capablanca. El trío del terror está compuesto de hecho por Capablanca, Lasker y Paul Morphy (1837-1884), el sureño que temía tener sangre negra: una tragedia americana. Fischer pudo haber completado la tríada, pero su brillante triunfo sobre Boris Spassky en Reikiavik en 1972 quedó borrado por su demencia juvenil de la que nunca sanó. Fischer, fanático anticomunista, es curioso, no padecía del complejo de Edipo: jugaba, literalmente, contra su madre que era tan comunista que la llamaban la *Reina Roja*.

En el Club de Ajedrez de Manhattan, Capablanca intimó con uno de los grandes jugadores americanos, Frank Marshall, a quien derrotaría decisivamente en 1909. Capablanca tenía veintiún años, Marshall treinta y tres. Marshall relata la ocasión en que un muy aburrido Capablanca, jugando en su contra, cabeceó más de una vez. Con un sentido del humor muchas veces ausente del tablero, contó Marshall: «Cometí el peor movimiento del juego: desperté a Capablanca». Capa ejecutó un jaque mate fulminante.

Capablanca se hizo un maestro del *zugzwang* que es mejor que maestro del zen. El *zugzwang* indica en alemán la posición en que el jugador obtiene un resultado peor (*Pace* Marshall) si le toca mover una pieza que si no le toca. Capa, el bien parecido, el elegante, el urbano se sonreía observando la cara de su contrincante cuando producía lo que parecía un zigzag y era un *zugzwang*.

Hubo un jugador llamado Johann Hermann Zukertort que se enfurecía cuando le traducían su apellido. Todos le llamaban *Torta de Azúcar*. Capa no se molestaba cuando en Nueva York, cosas de colegiales, lo llamaban *White Cloak*. Era, claro, el disfraz del lobo cuando visitaba a Caperucita en invierno. Pero cuando empezaba a funcionar el mudo motor de sus células grises, lo comparaban con la eficiencia silente de un Rolls Royce en marcha.

En sus días de estudiante (no de ajedrez, que nació sabiéndolo: por eso le llamaron el «Mozart del ajedrez») Capablanca jugaría más de una vez con Lasker. Ninguno de los dos sabía que Capablanca arrebataría a Lasker la reina y la corona. En el ajedrez no se intuye sino se sabe, como en una ciencia exacta, qué va a ocurrir muchas movidas más tarde. El ajedrez es un juego autista. Lo saben los espectadores sentados frente a la doble muralla invisible. Lo saben los jugadores encastillados en la defensa y la ofensa. Círculos concéntricos del ejercicio mental hecho juego, muchas veces la partida termina en el jaque de la locura. Al juego de Bobby Fischer, el único candidato a la corona eterna de Capablanca, lo han llamado «maniobras lunáticas». Fischer nunca estuvo loco, ni siquiera ahora en que se ha convertido en la Greta Garbo del juego. Pero hay casos de genuina locura.

Como la paranoia patética de Paul Morphy, que fue el primer campeón moderno, cuyos paseos solitarios y sombríos tenían por escenario la vieja Nueva Orleáns que lo vio nacer. Morphy fue un apestado social en Inglaterra y celebrado en Francia. En París le ganó al duque de Brunswick jugando junto con el conde Vauvenargues en el palco del duque en la ópera, en el intermedio de la puesta en escena de *El barbero de Sevilla*. Fígaro aquí, Fígaro allá.

Capablanca jugaba con tal velocidad que en el famoso torneo por el campeonato, celebrado en La Habana, Lasker, su oponente, se quejó de que el reloj Timer de Capablanca había sido arreglado por los cubanos para que corriera más lento. Pero durante el torneo Capablanca perdió siete kilos. Capablanca solía decir: «Hubo un momento en mi vida en que estuve muy cerca de creer que no podía perder un juego». Lasker, siempre generoso, cuando Capablanca entró en el torneo de Nueva York de 1924, declaró: «Capablanca podía descansar en un récord que nadie había conseguido nunca ni nadie igualará después. En diez años había jugado noventa y nueve torneos y juegos decisivos y ¡perdido sólo un juego!»

Como los apaches según Miguel Inclán, Capablanca era un hombre orgulloso. Cuando estaba a punto de perder un juego contra Marshall en La Habana en 1913, partida sin importancia, hizo que el alcalde de la ciudad en que nació vaciara el salón de juego antes de admitir la derrota. Sin embargo, cuando perdió tan extraña y sorpresivamente contra Alejin en Buenos Aires en 1927, se asegura que la noche del juego decisivo estuvo bailando tango tras tango con una belleza local. (A Capablanca, como a Borges, le gustaban las argentinas.) Dice Alexander Coburn, comentarista inglés: «Uno de los aspectos más interesantes de la personalidad de Capablanca es que, como a ningún maestro antes, le interesaban mucho las mujeres».

Es verdad. Capa, hijo de Caissa (Caissa es la diosa del ajedrez y su musa no sumisa), estaba más interesado en el juego con las mujeres que en el ajedrez. En un torneo celebrado en Londres, antes de perder el campeonato, fue convidado con Alejin, que entonces posaba de ser su mejor amigo, al *music hall* que adornaban las famosas Bluebell Girls (todas altas, todas rubias, todas piernas) y todo el tiempo que duró el espectáculo, Alejin no dejó de consultar su ajedrez de bolsillo, mientras Capablanca era todo ojos al escenario. ¡Cuidado con la dama! Es la pieza más peligrosa del juego.

Al ser preguntado por el sexo, propio o ajeno, Bobby Fischer respondió: «Prefiero jugar al ajedrez». A Alejin, por su parte, no le interesaba más que estudiar a Capablanca, su juego, su rejuego. Estuvo, según confesión propia, trece años estudiando al campeón de cerca. Esa noche en Londres lo estudiaba todavía y anotó críptico en su diario: *«It takes two to tango»*.

Capa permaneció en los Estados Unidos durante la Primera Guerra Mundial, jugando, y se escribía sobre asuntos de ajedrez (¿de qué otra cosa?) con el campeón Lasker, ciudadano alemán y judío patriota. Un día de 1918 vinieron a visitarlo dos discretos caballeros de Washington. Eran del servicio de contrainteligencia que investigaban su correspondencia extranjera, llena de extraños símbolos: 10BXe7 Qxe7 110-0 NXC3 12RXC3 e5. «¿Qué clave es ésta?» Muy serio, Capablanca respondió: «Son símbolos para una maniobra de liberación». «¿Cómo?», dijeron los dos agentes al unísono. Capa a carcajadas escapa: «Son signos del ajedrez, una convención internacional». Después de explicaciones y ejemplos con el auxilio de un tablero y varias fichas, los policías comprendieron. «¡Ah, es como las damas!» «¡Efectivamente —dijo Capa—, como las damas pero con caballeros!» Capablanca se dio cuenta de que la contrainteligencia es lo contrario de la inteligencia. Y sin embargo, sin embargo: Emanuel Lasker había ya inventado un tanque de guerra para el enemigo que era todavía su amigo.

Morphy, que se llamaba Morfeo pero no podía dormir, antes de entrar al primer círculo de la espiral de la locura, laberinto sin Dédalo, estuvo en 1864 en La Habana, «que ya era centro del ajedrez», para dar varias exhibiciones con los ojos vendados. El resto fue el ensordecedor silencio de la mente del jugador en una partida que no cesa. Capablanca, que jamás imaginó la presión social sobre su sanidad mental que sufrió Morphy, se comportó siempre por encima de los pares y los nones que lo creían un aristócrata español. En Londres lo tenían por un hombre frío cuando sólo era calmo: *cool not cold*[*].

Según Gerald Abraham en *La mente del ajedrez*, Capablanca «poseía un juicio calculado para prevenirle de perder el control mental». Dice George Steiner en su ensayo *White Knights of Reykjavik*, sobre el combate Bobby Fischer-Boris Spassky: «Más que ningún otro maestro (Capablanca) pudo ver la armazón exacta de la pura lógica». Parecía tener, añade, «la apretada dirección que tienen las computadoras que juegan al ajedrez». Capablanca, según Steiner todavía, «tenía la monotonía de la perfección». Ca-

---

* En una ocasión el campeón, *nonchalant,* se apareció a reanudar una partida interrumpida ¡vestido para jugar al tenis y con una raqueta en la mano! Era que había hecho cita con una damita de sociedad adicta al juego de la pelota.

pablanca, Steiner *dixit*, ganó una famosa partida al eterno Lasker «con impecable rigor» y en cincuenta y una calladas movidas consiguió que «un peón avance hasta la fila final para ser coronado reina», en el más peligroso travesti del juego: para el peón es morir después de reinar.

Capablanca, ahora, pareció por un momento lamentar que su viejo amigo Lasker perdiera una partida que tenía ya ganada y no se movió de su asiento sobre el tablero ni cuando retumbaron los aplausos. Su actitud durante el juego, después del juego, era bien diferente a la de Bobby Fischer. Así describe el *International Herald Tribune* a Fischer, jugando por el campeonato mundial de Reikiavik, Islandia, en julio de 1972: «Fischer no se está nunca quieto y continuamente da vueltas en redondo sobre su silla giratoria especial (que le costó $470). Mientras Spassky se sume en una meditación profunda sobre el siguiente movimiento, Fischer se come las uñas, se saca los mocos y se limpia los oídos entre movida y movida».

Fischer, que con su estatura, sus excentricidades y su adicción a los cómics fue el Howard Hughes del juego ciencia más que de la ciencia del juego, no jugaba ajedrez sino que practicaba continuos ejercicios de anulación de la personalidad del contrincante. Capablanca era la gentileza, la seguridad y la absoluta convicción de que el juego era suyo: el ajedrez se había inventado para él. Caissa lo hizo. Sin embargo, más que con aquel indeciso de Morphy (en su cara se veía siempre la sombra de una duda por más que se afeitase), demente, delirante, se compara a menudo a Capablanca con Fischer. Sería el caso de dos hermanos gemelos unidos por un tablero, pero, como las piezas, uno blanco y otro negro.

Como final analogía de contrarios, se ha imaginado una partida única para resolver (palabra clave en el juego) el último problema de ajedrez. ¿Podría Fischer haber derrotado a Capablanca? Fischer buscó siempre demoler a su oponente, física y mentalmente. La única manera en que Fischer habría podido acabar con Capablanca sería que aprovechara cuando Capa apretara el botón de su Timer para hacer desfilar a espaldas de Fischer coristas, modelos y *stripteasers* con que distraer el ojo desnudo del cubano. Capablanca podría, en revancha, recordarle a Fischer a su madre, la bestia negra que era, para su hijo, roja como la plaza donde están las altas torres del Kremlin.

Capablanca fue acusado muchas veces de fácil porque el juego le era tan fácil como a Mozart la música. Era una suerte de respiración. También lo llamaron haragán otras veces, como a Rossini. Cuando el joven Gioacchino, que siempre componía en la cama por miedo al frío (como Capablanca, Rossini padecía de frío incoercible), de donde se levantaba tarde o no se levantaba, vio caer al suelo una de las hojas, de su *Barbero,* no se molestó en bajar de la cama ni a perturbar las otras páginas, sino que la escribió de nuevo. Ésta es la mejor parte de su «Obertura». Capablanca, por su arte, no estudió una apertura en su vida.

Dijeron que Capa era un incurable mujeriego como si padeciera una enfermedad venérea. «Como cubano al fin», dijo Alejin, que se había casado cuatro veces, les pegaba a sus mujeres y bebía hasta aparecerse borracho a jugar en un torneo importante. Ese hábito que no hace un monje le costó el campeonato mundial en 1935. Antisemita hasta el punto de escribir artículos difamando a los judíos en el ajedrez, publicados en la prensa nazi durante la ocupación de Francia, padecía agudos ataques de violencia, como cuando, al perder una partida fácil, destruyó los muebles de su habitación de hotel en Pskov.

Pero Alejin fue el primer gran jugador de ajedrez ruso sin las trampas soviéticas de Stalin. Hoy tiene un torneo en su nombre en la Unión Soviética y las autoridades rusas han intentado varias veces llevarse a Moscú sus restos que descansan (si es que pueden) en el cementerio de Père Lachaise en París. Sobre su tumba hay un busto idealizado del jugador, abajo hay un tablero de ajedrez y en el medio una inscripción en bronce que exalta la memoria de un gran jugador que fue también un miserable.

Alejin fue el Salieri de Capablanca. Después de la inesperada, increíble derrota del cubano de manos del ruso blanco en Buenos Aires en 1927, Alejin se negó sistemáticamente a conceder a Capablanca la revancha por el campeonato mundial (entonces las reglas del juego eran diferentes) y aunque prometió hacerlo muchas veces, nunca cumplió. Como ironía y jaque mate, Alejin perdió el campeonato mundial a manos del soso y serio Max Euwe. En 1937, sin embargo, Euwe, holandés cabal, le dio a Alejin una lección de caballerosidad (por demás inútil) y le concedió una revancha ancha. El torneo no le sirvió de nada a Euwe que fue derrotado de mala manera. Como dice de Alejin Richard Eales en *The History of a Game:* «El contraste de su comportamiento con Capablanca fue francamente obvio».

Las relaciones entre Capablanca y Alejin llegaron a ser tan malas que Capablanca se negaba a participar en torneos internacionales si tenía que jugar con Alejin. Capa tenía en las blancas su nombre, pero Alejin decidió jugar con las negras hasta el final. En 1940, viviendo en la Francia ocupada, Alejin (a quien mi madre llamaba «un verdadero villano») pidió permiso para emigrar a Cuba y prometió que, si lo admitían en la isla, jugaría contra Capablanca por el campeonato mundial. Batista, gran amigo de la Unión Soviética entonces, era el presidente de Cuba y le negó el permiso. Ironías del tablero, poco después de su muerte, Stalin decidió considerar a Alejin una gloria rusa.

La carta de renuncia de Capablanca a Alejin es uno de los documentos más elocuentes de la historia del ajedrez. «*Cher* Monsieur Alekhine», escribió Capablanca en francés y hay un borrón donde debió de haber una *e* que convertía el *cher* en *chère*: Alejin era una mujer. O Capa tenía poca práctica en renunciar o demasiada maña en conquistar mujeres. Sigue la carta: «*J'abandonne la partie*» y por un momento leí «*la patrie*». Capa renuncia a continuar jugando y pierde la partida y el campeonato mundial de ajedrez. Todavía tiene saludos «*pour Madame*». La carta está fechada en noviembre 29 de 1927 y el lugar en que fue escrita es Buenos Aires, Argentina. Era el fin de un campeón y de una era del ajedrez moderno. A esa edad Mozart había compuesto su *Réquiem*.

Alejin, que nunca se sintió culpable por no haber dado la revancha a Capablanca y mantuvo el título hasta su muerte, contaba un cuento, ya al final de su vida, como Casanova pero sin tener la generosidad con las mujeres que tuvo Casa en sus memorias. Enfermo y firme, relata lo que le ocurrió jugando con Capablanca en Petersburgo en 1914. Una noche, en pleno torneo, y como en «La reina de espadas» de Pushkin, tocaron a su puerta. Abrió y se encontró con un viejo campesino ruso en harapos que le pidió entrar porque había encontrado un secreto de suma importancia para el ajedrez. El hombre era insistente y Alejin lo dejó entrar pero no lo invitó a sentarse. «¡He encontrado la manera de que las blancas den jaque mate en *doce* jugadas!» Alejin se dio cuenta de que tenía en su cuarto de hotel a un loco y trató de echarlo de la mejor manera. Pero el viejo visitante insistía. «Se lo voy a demostrar», decía. Para acabar con el enojoso asunto Alejin dispuso el tablero y las fichas. Doce jugadas más tarde el campeón ruso y futuro rey del ajedrez deponía su rey de madera. Pálido y como de yeso Alejin casi suplicó: «Repita sus jugadas, por favor». El viejo repitió su performance y volvió a derrotar a Alejin otra vez y otra vez más. Alejin cogió al viejo jugador por un brazo, salió al pasillo y al cuarto de Capablanca. Como de costumbre, el cubano no dormía sino que tocaba la balalaika para que una cimbreante gitana bailara una salmonela o como se llame ese baile ruso, rudo. Con gran trabajo Alejin hizo que Capablanca dejara de hacer música o lo que estaba haciendo para atender al viejo patán. Que procedió a derrotar al campeón sin corona del ajedrez una vez y otra y otra, siempre en doce jugadas. «¡Doce fatídicas jugadas!»

Aquí Alejin pareció dar por terminada la historia.

«Pero», quería saber el impaciente interlocutor, «¿qué pasó?»

«¿Qué pasó?», preguntó retóricamente Alejin. «Pues que Capablanca y yo matamos al viejo. Ahí mismo en su cuarto y luego lo echamos al Neva. Eso fue lo que pasó. De no haberlo hecho ni Capablanca ni yo habríamos sido campeones de ajedrez del mundo. ¡Del mundo! Yo todavía lo soy», aseguró Alejin en su cama en medio del blanco cuarto, luchando una vez más por quitarse como un Houdini ruso su camisa de fuerza, al tiempo que miraba a su alienista con ojos en que se reflejaba un tablero de ajedrez.

Este cuento incompleto apareció en *The Complete Chess Addict* y lo reproduzco aquí porque revela el carácter del jugador de ajedrez y la personalidad de Alejin, hombre capaz de llegar al asesinato por ganar una partida o el campeonato del mundo. Es lo mismo. Por otra parte asegura el doctor Félix Martí Ibáñez: «Darle jaque mate al rey opuesto en ajedrez equivale a castrarlo y devorarlo, haciéndose los dos uno solo en un ritual de homosexualismo simbólico y comunión canibalística, respondiendo así a los remanentes del complejo de Edipo infantil». Escrito en 1960 esta sarta de infelices frases freudianas no es menos fantástica que la historia de Alejin y el jaque mate en doce jugadas, juegan las blancas. La fábula puede haber sido cocinada por lord Dunsany, uno de los maestros del cuento fantástico y el doctor Ibáñez bien puede estar emparentado con Blasco Ibáñez. Capa, por su parte, hizo tablas con lord Dunsany, que era un aficionado de cuidado.

Más tarde en San Petersburgo las noches blancas de un peón negro. El director soviético Vsevolod Pudovkin hizo en 1925 una peliculita titulada *El jugador de ajedrez* y su protagonista era, ni más ni menos, Capablanca. Ahí se juega con su nombre y con la blanca nieve. El film comenzó como un documental sobre el Torneo de Moscú en 1925, cuando Capablanca era todavía campeón del mundo. Capa, en medio de una sinfonía de tableros y una tocata de fichas, aparece envuelto en un asunto romántico con la bella heroína rusa. Todo el mundo parece presa de la fiebre del ajedrez (que es el título alterno) pero una pregunta detiene el tránsito: «¿Tal vez el amor es más poderoso que el ajedrez?» Capablanca va aún más lejos al decir: «Cuando veo una mujer bella, también empiezo a odiar al ajedrez». Pero carga con la heroína, al torneo. Al final, devuelta la novia rusa a su novio ruso, Capa con capa y sobre la nieve parece decir adiós. En ese momento cae sobre la blanca acera un peón negro. *Koniesh filma.*

Capa siempre sintió una vaga antipatía por los que no saben jugar al ajedrez. «Es tan melancólico», afirmaba, «como un hombre que nunca haya tenido relaciones con una mujer que no sea su madre». En una palabra, no comprendía al soltero empedernido ni al ignorante que no sabe cómo se manipula el peón, esa pieza que se parece extrañamente a un clítoris que se mueve inexorable hacia la reina opuesta. Capablanca propuso una vez que se extendiera el tablero al añadir dos peones extra a cada lado y dos nuevas piezas. Capa pensaba que las posibilidades del juego se habían agotado ya. Algunos dicen que nuestro hombre en la dama concibió esta variante del juego si no del espacio del juego (que significaba a la vez una alteración de las reglas del juego) porque estaba harto del número de partidas que terminaban en tablas, sobre todo en torneos internacionales y en campeonatos. Otros, más personales, dicen que Capablanca encontraba el juego tan fácil que se aburría y las nuevas piezas y el nuevo espacio del juego serían como meter otra mujer en la cama.

Capablanca, que era un gran cocinero y presumía de gourmet, rara vez se levantaba antes del almuerzo y de los postres y el café (Capa, cuyo nombre es esencial al cigarro, no fumaba ni bebía) y se iba a jugar siempre impaciente por terminar la partida, musitando: «A la cena, a la cena», haciendo un juego de palabras por preferir el juego abierto. Al clásico Capablanca se le acusó de ser el primer jugador narcisista, que es un mal romántico.

Capablanca fue derrotado, en el tablero, por una mujer, Mary Bain, que lo venció en simultáneas. Miss Bain tiene el récord del jugador de simultáneas que más rápido derrotara a Capablanca. Mary no sólo era joven sino bonita y existe la sospecha entre los viejos ajedrecistas de que Capa se dejó ganar. La derrota, la concesión, lo que fuera, ocurrió en sólo once movimientos. «El ajedrez», dijo sir Richard Burton, jugador de ajedrez y traductor del *Kama Sutra*, código de amor hindú concebido por los inventores del ajedrez, «es un juego erótico: todo consiste en poner horizontal a la reina». Para los que creen en la importancia de ser serio, Capablanca adelantó una teoría: «El ajedrez es una ciencia que parece un juego».

Una anécdota revela a un Capablanca compasivo, casi sentimental. Jugaba con Lasker en Moscú en 1914 y Capablanca notó cómo el entonces campeón Lasker se puso pálido, ceniza casi, al darse cuenta de que había cometido un error tan grave que tal vez le costaría el juego. La mano de Lasker temblaba tanto que casi no podía asir la pieza que quería mover. Capablanca supo en ese momento que muy pronto sería el campeón mundial. Pero, declaró, no podía evitar sentir una gran piedad al ver el efecto paralizante que la inminente derrota tenía en Lasker. «Había esgrimido el cetro del ajedrez durante veinte años», escribe Capablanca, «y en ese instante supo que había llegado a su fin». La ironía del momento es que no había llegado el fin para Lasker todavía. El campeón se las arregló para hacer tablas y ganar el torneo. Capablanca, llamado Capa, era lo que no era Alejin, por ejemplo, o Bobby Fischer: un jugador placable, nada implacable.

Capablanca, sin embargo, rara vez perdonaba a una mujer: era un Don Juan capaz de convidar al Comendador a una partida de piedra y entre jugada y jugada acostarse con Inés, con Ana y con su hermana. Para él un *ménage à trois* no era una partida extraña. Capa, además, era un atleta experto: las tablas de baloncesto le eran tan familiares como las del ajedrez, practicaba esgrima con la idea de que el ajedrez era otro duelo y había estudiado más libros de cocina que de ajedrez. Nunca jugaba al ajedrez más que en torneos y competencias. Tenía una segura posición social (que los envidiosos llamaban sinecura) convertido en propagandista de Cuba a sueldo del Gobierno cubano, no muy diferente a la posición de los jugadores soviéticos, amateurs sólo de nombre. Lasker dejó escrito que Capablanca era, por encima de todo, un hombre modesto. «Tenía la modestia fundamental que es la marca de la verdadera inteligencia.» Quería, sí, ganar siempre en todo, pero no tenía ese impulso asesino ni contra sus contrincantes ni con sus amantes que tenían Lord Byron o Hemingway. Como Mozart, era un clásico que se hacía romántico en su juego.

¿Era todo eso lo que estaba dentro de la caja lujosa en el túmulo en medio del Salón de los Pasos Perdidos?

En 1913 Capablanca fue nombrado una especie de embajador cultural de Cuba. Los gobiernos de la isla, a pesar del sol, nunca fueron muy iluminados. Pero ahora comprendían que Capablanca era un valor publicitario (la propaganda no se había asentado todavía sobre La Habana) y que su nombre valía tanto como cualquier marca local. Digamos La Corona, Partagás o Por Larrañaga. Capablanca era una suerte de Montecristo que no fuma. Sus colegas, en Cuba y en el mundo del ajedrez, objetaron a lo que llamaban una sinecura *sine die*. Sólo Lasker, siempre apremiado, comprendió que Capablanca era un hombre con la suerte de tener a su país detrás. Los rusos, al hacerse soviéticos, harían otro tanto.

Capablanca se hizo un jugador tan invulnerable que cogió fama de invencible y ganó el mote de la «máquina de jugar ajedrez», con todas sus implicaciones: el autómata del Maelzel, las investigaciones de Poe, las astucias del doctor Mabuse llamado *Der Spieler*, el tahúr. Un nuevo desafío del joven maestro al viejo matrero de Lasker sólo obtuvo que Lasker renunciara a su título en favor de Capablanca. Pero como dice Procol Harum, «la muchedumbre quería más». Quería, en efecto, un torneo de madera en que las lanzas se trocaran por peones, las mazas por alfiles, los caballos por caballos y enrocar en esas distantes torres que son el Morro y la Cabaña a la entrada de la bahía de La Habana. La bolsa era como para tentar a un monje en retiro: 25.000 pesos en una época en que el peso cubano valía más que el dólar: era la era de las vacas gordas. Jugando como el gran maestro que era, Capablanca ganó la victoria más decisiva jamás lograda por un desafiante al campeonato mundial. Capa quedó tan extático que cometió el primer error de su vida con las mujeres: se casó. Su novia de blanco para colmo se llamaba Gloria.

Capablanca siguió su carrera en ascenso. De las 158 partidas y juegos de torneo desde 1914 había perdido sólo cuatro juegos. Conocido por multitudes que sabían que ajedrez se escribía sin hache pero no con zeta, Capablanca se hizo la primera estrella del ajedrez. Tal vez sea, a pesar de Alejin, a pesar de Fischer, la más grande, la mayor. Capablanca no sólo era el campeón del mundo sino el campeón de simultáneas de su tiempo. Por lo que Petronio habría llamada *elegantiae*, Capablanca se negó siempre a jugar con los ojos vendados. Ahora se echó hacia atrás, arrojó a un lado el último cigarrillo que no había encendido y dijo resuelto al teniente del ejército español de ocupación que se parecía tanto a su padre: «¡No quiero la venda!»

Con excepción de Lasker, Capablanca no era muy apreciado por los jugadores de su tiempo. Lo encontraban remoto pero era un terremoto: una fuerza destructiva natural que sacudía el tablero y derribaba las piezas, sobre todo al rey y a la reina. Pero, peor, había un jugador que lo halagaba, lo alababa siempre: Aleksander Alejin. «¡El malvado y miserable!», como me enseñó mi madre a mis diez años, haciéndome un espectador prodigio. (Creo que fui la última persona que vio a Capablanca muerto.) Mi madre lo llamaba Alekine. Para mi madre, Alekine era de lo peorcito: un ruso blanco. Alejin, el diablo más a mano, tentó a Capablanca como si él fuera Capanegra, un mal Mefisto: ¡Alejin, aléjate! Pero Capablanca aceptó el reto y Alejin, sombra y asombro, derrotó a Capablanca para siempre. Declaró Alejin con falsa modestia que era sin embargo dato cierto: «No creo que yo fuera superior a Capablanca. Tal vez la razón por la que le gané fue que se sobrestimaba y no me estimaba». Eran las razones del diablo: Dios nunca me quiso, Mefisto. Metafísicas aparte, la verdad verdadera es que Alejin se hizo campeón del mundo y se hizo con el campeonato por logro y por truco. Hasta su muerte. Sólo Dios sabe lo que le dijo al diablo.

A partir de su inesperada derrota, Capablanca comenzó a venirse abajo, como una torre de nieve: las blancas hacen enroque y pierden, las negras ganan y se van. Su matrimonio se hizo divorcio, pero siguió jugando: ganó algunas y perdió algunas. En 1987 su viuda, Olga Capablanca de Clark, vendió el manuscrito inédito de una partida Capablanca-Tartakower en $10.000. Todavía era endiosado en el mundo del ajedrez y en el mundo: Capablanca era una cerveza, un helado de chocolate y vainilla, un cóctel de ron con crema batida. En Rusia, que ahora se llamaba la Unión Soviética, era más popular que nunca lo fue en tiempos de los zares: el ajedrez era rey y Capablanca su príncipe consorte. Capablanca se casó con una rusa, de París, que conoció en 1934. La boda ocurrió en 1938 en París, pero tuvo su peor repercusión en La Habana. La familia de su primera mujer consiguió algo más que Alejin: Capablanca dejó de ser embajador *at large* de Cuba y lo degradaron a agregado. Pero Capablanca no dejó de jugar y ganar: Caissa lo hizo.

Mozart podía, vuelto de espaldas al piano, decir el número y nombre de las notas de un acorde que tocara otra persona: de preferencia una mujer. Capablanca, de sólo echar una mirada al tablero, veía todas las piezas y su disposición y sabía exactamente cuáles eran las posibilidades del juego. Desdeñoso de las aperturas (nunca, según él, estudió una sola) mostró siempre una habilidad pasmosa para los fines de partida. Tal vez influyera que aprendiera a jugar cuando ya las fichas estaban sobre el tablero y el juego había comenzado.

Su adversario de siempre, Luzbel extraordinario, Alejin, decía que no había visto otro jugador con su «rapidez para la comprensión» que era su aprensión. Un condiscípulo, jugador fuerte, declaró que Capablanca «nunca aprendió a aprender». Es que para Capa el ajedrez era un juego y no por gusto se le declaró el *playboy* del ajedrez occidental, en oposición a la emergente escuela rusa encabezada por Alejin, que era todo estudio, esfuerzo y mala fe.

La palabra *playboy* sugiere a un Porfirio Rubirosa, tenientillo que se abrió paso en la isla de Trujillo y en el mundo a golpes de pene y olvido. Rubirosa era un chulo compensado, Capablanca era exactamente lo contrario. Todavía se cree que Capablanca pertenecía a la alta sociedad criolla. Nada más erróneo. Capablanca padre no era más que un teniente del ejército español en la siempre fiel isla de Cuba. Su madre era un ama de casa. Los dos no tenían más que sus nombres memorables y un hijo formidable. Incluso el patrón cubano que le pagaba los estudios en Estados Unidos concluyó que Capablanca empleaba su tiempo más en jugar (al ajedrez pero también al baseball y al basketball) que en estudiar y le retiró el estupendo estipendio. Ese mismo año la universidad lo suspendió ominosa. Fue entonces cuando Caissa vino a rescatar a Capa de la ignominia: Frank Marshall acordó jugar contra Capablanca calculando que sería comida de bobo. Capablanca lo derrotó decisivamente. Hazaña sin precedentes que un mero aficionado derrotara a un cujeado campeón. Marshall, impresionado por su derrota (es decir por la victoria de Capablanca), hizo que lo invitaran al torneo de San Sebastián en 1911. Capablanca ganó un torneo mayor en su primer intento, lo que era la hazaña sin precedentes. El resto es historia: la del ajedrez precisamente.

Una tarde de 1942 (era marzo y nevaba) Capablanca entró como tantas veces al Club de Ajedrez de Manhattan, que había sido su refugio favorito de joven estudiante y después de aspirante a cualquier torneo y aún más tarde de gran maestro del juego real y campeón del mundo finalmente. Capa, friolento pero no lento, se dirigió rápido a la sala de juego sin siquiera quitarse su sobretodo. A pesar de los años pasados en Nueva York y en Europa, a pesar de la nieve rusa, Capa siempre tenía frío. Excepto, por supuesto, cuando jugaba, con alguna mujer en la nieve. El portero, la *girl* del guardarropa y hasta los miembros del club estaban acostumbrados a ver a Capablanca de negro gabán hasta el tobillo moviéndose de tablero en tablero, en silenciosas simultáneas: mirando, observando y captando de un solo golpe de ojo el estado de cada escaque y el conjunto de piezas derramadas en orden sobre el tablero. Para él todo era un todo, el juego. Ahora vio que no había un solo jugador de su edad. Eran todos muy jóvenes o viejos: eran tiempos de guerra no de juego o del juego de la guerra. Sobre otro tablero y por encima de un jugador joven vio de un vistazo que el otro, un viejo, tenía la partida perdida. El jugador joven quiso iniciar una jugada decisiva, lo pensó sin pensarlo, se arrepintió y no fue más allá. Pero había tocado su dama y según las reglas del juego cuando se roza una pieza propia hay que moverla adelante. El otro jugador, el viejo, ensimismado en la derrota, no había advertido el leve movimiento del otro y el jugador joven hizo como si no hubiera pasado nada. Tal vez Capablanca recordara la primera vez que notó, hacía más de medio siglo, una jugada para anotar un fraude. Ahora no dijo nada, por supuesto: era todavía un caballero. Pero levantó los brazos de manera extraña, se llevó las manos enguantadas al cuello y pidió casi con un grito:

«¡Ayúdenme con la capa!» en español. Ésa fue su frase final. No dijo más y cayó al suelo, muerto. Había sufrido, según la autopsia, un derrame cerebral masivo. El patólogo dijo que no se mostraba nada sobrenatural («específico» fue lo que dijo) en el cerebro de Capablanca, que era particularmente normal. Es obvio que el ajedrez y las muchas mujeres no se ven en el cerebro. ¿Era eso todo lo que había en su cabeza embalsamada?

Noviembre de 1988

El español no es una lengua muerta

Leo, no sin asombro, en el elogio fúnebre a la marquesa Du Chatelet, que Voltaire, su amante, escribió poco tiempo después de su muerte: «Desde la más tierna edad había ella alimentado su mente leyendo a los grandes autores en más de un idioma. Comenzó a traducir *La Eneida*... Aprendió el inglés, el italiano...» Aquí hago yo, no Voltaire, una pausa antes de la sorpresa: «Si hizo pocos progresos en español fue porque le dijeron que no había más de un libro famoso en esa lengua y era un libro frívolo». Voltaire anota este desprecio pero no lo califica ni justifica. Aparentemente para Voltaire, que no era frívolo, esta declaración tan frívola es aceptable. Es más, era muy común en su tiempo en Francia. También en Inglaterra y en lo que hoy llamamos Italia. Sólo en Alemania se ocupaban seriamente de la literatura y la lengua españolas, como atestiguan las obras de Shiller y las lecturas de Goethe. Pero Lichtenberg decía que el español era el latín del pobre.

Este desinterés no es extraño en los países europeos, en que se habla otro idioma. Pero ha sido igual de intenso en zonas del planeta donde el idioma vernáculo es, básicamente, el español. Me refiero por supuesto a México, a América Central, a Sudamérica. Un escritor como

Borges, cuya lengua natural era el español y no el inglés, su idioma ideal, se permitió un desprecio elegante del español y, a veces, un menosprecio magnífico. Dice Borges: «...paso a comentar una distinta equivocación, la que postula lo perfecto de nuestro idioma y la impía inutilidad de refaccionarlo». Lo declara el Argentino nada menos que en su ensayo «El idioma de los argentinos». Sigue así en su impunidad inútil: «Su mayor y solo argumento consta de las sesenta mil palabras que nuestro diccionario, el de los españoles, registra». Hay aquí un error craso (el de las sesenta mil palabras que reduce el español a un mero esperanto desesperado) y una paradoja perjudicial: la que declara al español nuestro, es decir también suyo, y al mismo tiempo achaca el diccionario a los españoles, como una culpa ajena. El idioma llama dos veces.

Borborigmos de Borges: «La sinonimia perfecta es lo que en ellos quieren, el sermón hispánico». Más tarde, al acusar a los argentinos de vulgaridad al tratar de derivar un *sermo vulgaris*, el lunfardo, de otro idioma vulgar y sus germanías, postula que no hay un «gran pensamiento o un sentir». Es decir una filosofía, en español, aunque se haya dicho mucho que en España el filosofar no lo han hecho los filósofos sino los escritores. Borges se equivoca cuando concluye que no hay «una gran literatura poética» en español. Luego se rectifica: «Confieso —no de mala voluntad y hasta con presteza y dicha en el ánimo— que algún ejemplo de genialidad española vale por literaturas enteras: don Francisco de Quevedo, Miguel de Cervantes». Para morderse enseguida la lengua del Plata con una interrogación maliciosa: «¿Quién más?» Su corolario es que: «Difusa y no de oro es la mediocridad española de nuestra lengua». Hay sin embargo en esa frase una contradicción de términos que es elocuentemente voluntaria y más adelante su tono es casi cervantino al hablar de la lengua. «Un embeleco de que ninguna realidad es sostén.»

En otra parte, en otro libro, Borges habla, no sin razón, de que un sinónimo es la intención de cambiar de idea con sólo cambiar de sonido. Lo achaca al español y a los españoles, pero esa pretensión, bien lo sabe, ocurre en otros idiomas. O por lo menos en las tres lenguas en que puedo leer sin mover los labios. Borges, para su embarazo tardío, trata de defender un dialecto, el argentino, a costa de un idioma, el español. Debo confesar que no sólo Borges ha cometido ese crimen de América. Yo mismo, en una nota editorial a *Tres tristes tigres*, acometo esa tarea mayor. ¿Por qué denostar un idioma para elogiar un dialecto? Eso ocurrió hace veinte años y hoy día lo veo como una vana presunción. Yo no quería escribir en un dialecto sino en un exclusivo idioma universal. Quería para mí la posibilidad del esperanto en la realidad del español. Pero ¿a qué escribir en cubano, una lengua muerta para mí? Era como el latín de Lichtenberg sin su idoneidad. Fue así que decidí buscar en el inglés lo que no había hallado en el español.

Pero ahora repudio las agresiones de Borges. Si las cité arriba es porque sé que es una eminencia nada gris del idioma: su español es ya clásico. No ha habido desde la muerte de Calderón en 1681 otro escritor en español de la consecuencia universal de Borges. No admitirlo o negarlo es un mero acto de soberbia o de envidia literaria. Borges, además, es el único escritor que ha escrito en español en el siglo XX que será leído seguro en el siglo XXI. Su influencia fuera del área del idioma se ha hecho cada vez mayor. Cuando llegué a Inglaterra apenas si nadie lo conocía y sus traducciones eran publicadas en breves libros escogidos que sólo se vendían en la trastienda: los libreros los proponían como pornografía pura. Veinte años después, no pasa un día sin que se le cite en la prensa inglesa del *Times* al *Standard* y críticos que apenas saben pronunciar su nombre (lo convierten en un escandinavo: Borg) lo invocan en la radio y en la televisión. Como la Coca-Cola, *Borges is it!*

Escogí citar a Borges porque no era posible llevar las quejas como bruñidas lanzas contra un idioma que era, que es, no sólo un instrumento de trabajo para muchos escritores, un medio de comunicación para todos de los Pirineos y más allá de los Andes y un placer para los que sabemos que, como idioma, tendrá sus defectos, inconveniencias y extrañas manías (¿por qué la Ch es *otra* letra?) pero como un alba mater, ese idioma del amanecer de la conciencia, esa lengua madre que nos limita pero nos define, que nos alienta y nos deja sin aliento, que nos pone obstáculos para saltarlos en una *steeplechase* verbal en un eterno retórico.

Somerset Maugham tal vez tenía razón. Dijo, reuniendo *facta* y *verba*, lo contrario de Voltaire: «El español es la mayor creación literaria de los españoles». Reducía, es verdad, a todos los escritores españoles a un solo libro, el diccionario, pero suena cierto. Una vez escribí en un libro que nadie recuerda una frase provocativa. Nadie hizo el menor caso, pero la declaración se volvió escandalosa al repetirla por televisión años más tarde: «El español es demasiado importante para dejarlo en manos de los españoles». Había aquí un énfasis demasiado polémico, pero era lo que creía. Es lo que creo todavía pero de diferente manera. ¿Me explico? Tal vez no. Vamos a ver si corro mejor suerte en el próximo párrafo.

España no estaba realmente interesada en su imperio de América. No por lo menos en el siglo XIX cuando el imperio hacía agua. La hostilidad y chacota de Pepe Botella, las más serias guerras napoleónicas y la restauración de los Borbones convirtieron a la breve República en un himno de riesgo y fácil entonación. Nadie, a pesar de las guerras sudamericanas, se interesaba de veras por Sudamérica y la «Siempre Fiel Isla de Cuba» era sólo un lema para cubanos crédulos y consuelo de imperialistas. Ni un solo español, a pesar de las tropas de ocupación, libró una sola batalla por el idioma español, dejado en manos (o en boca) de indios, indianos sin fortuna, mulatos y una estirpe de seudopatricios que se hacían llamar, extrañamente, criollos. *Creole* viene del francés y en inglés del sur de Estados Unidos era un mestizo de blanco y de negro, que, cuando eran mujeres, solían tener una gracia especial para bailar el rigodón, danza en dos por cuatro que alegra las comedias de la Metro, con Ingrid Bergman de *creole* típica. En Cuba, Venezuela, Colombia, Perú y Argentina un criollo era un hijo de español que es blanco pero más americano que los aborígenes. España, la madre patria, siempre consideró a sus hijos de América como díscolos o, en el peor de los casos, como desafectos. Es decir, contrarios, opuestos.

El idioma español de América cuando no estaba contaminado por chibchas o cholos, era una mezcla de África y su peor herencia, los esclavos que, como se sabe, eran culpables de la esclavitud (sin esclavos no hay trata) y todo lo que traía consigo: mal color, mal olor, mal habla. En Cuba los esclavistas (es decir toda la población blanca de la isla) consideraban que el otro cuando no tenía de congo tenía de carabalí. Por otra parte, el populacho (los esclavos o hijos o nietos de esclavos) padecían raras aspiraciones peninsulares y solían exclamar a la hora de las siesta: «¡Ah, quién fuera blanco aunque fuera catalán!» El idioma, naturalmente, aspiraba también a ser blanco aunque, tal vez atemorizado por un grabado de Pompeu Fabra que ilustraba su gramática, no aspiraba a la catalanidad. Así en Cuba, la isla que conozco, el idioma no es exactamente mestizo. Se le podría definir con el dilema de la cebra. ¿Son rayas negras sobre fondo blanco o rayas blancas sobre fondo negro?

En España hay gente que se asombra (me ha pasado no sólo en la imperial Madrid sino en la mozárabe Sevilla y en la celta Santiago, pero no me ha pasado nunca en Barcelona) de que yo hable un español más o menos inteligible. Sé que hay gente que todavía se admira de que lo escriba. Pero hay en todo caso algo en el idioma de los cubanos que no es exactamente español. Lo mismo ocurre en México, en Colombia, en Perú. La lengua es blanca pero con rayas negras. ¿O es al revés, como ocurre en Bolivia y en Paraguay, indígenas bilingües? El único país donde no hay mestizaje idiomático en América es, ¿quién lo diría?, Argentina. Allí el dialecto es esa jerga atroz, el lunfardo, mezclado con el *vesre*, que Borges califica de colegial, y letras de tangos literarios y cursis. Es esta olla podrida que Borges atacaba por el extraño método de desacreditar el español. Es como abofetear a la madre para hacer callar al niño que llora. Ahora yo también quiero denunciar las germanías, incluso la que fue mía, sobre todo esa mía. El español, me parece, es un idioma demasiado importante para dejarlo en manos de los dialectos más dilectos.

Enero de 1987

El español y la literatura

El título es inevitablemente ambiguo. Pero si la ambigüedad puede conducir al ingenio o al engaño, Empson quiere que sea «aquello que añade matiz a la declaración directa de la prosa». Para enunciar que «todo pronunciamiento en prosa es ambiguo». No se trata del pronunciamiento militar o político. Aldous Huxley decretó que hay tres clases de inteligencia: humana, animal y militar. Se sabe que los poetas hablan en verso —y los políticos en anverso. Esta purga ambigua se conoce en Inglaterra como Sal de Empson. (En español sulfato universal.) Empédocles, más antiguo pero menos ambiguo que Empson, propone que el mundo visible está compuesto de aire, fuego, tierra y agua. Todos estos elementos, según el filósofo que ayudó a derruir una tiranía y después rechazó la corona que le ofrecían, están gobernados por la concordia y la discordia. Estos dos sentimientos opuestos unirán mi charla —con un tercer aglutinante, la saliva.

Vivo en Inglaterra entre libros y polvo y películas. Vengo de América, nunca de América *Latina*. Salí de Cuba exilado para siempre o para la eternidad —lo que dure menos. Traté de vivir en Madrid pero la inolvidable policía política española me lo impidió, con un gesto cortés que no quita lo bizarro, residir en España. Ni siquiera podía vivir en Ceuta o Melilla. ¿Qué tal Andorra?, pregunté. Yo tenía tan poco dinero que no podía viajar en metro a Vallecas. Dedo índice que apunta. «Ceda su visa a compatriotas que no viajan.» Desde entonces, impelido por ese dedo, he dado la vuelta a mi mundo varias veces. Útero, he viajado.

Hablé de América y tengo que hablar, de todas todas, del Gran Almirante, tan denostado en estos días. Hablo de Cristóbal Colón, a quien el poeta Paul Claudel, jugando con su nombre, llamaba «la paloma que llevaba a Cristo». Creo de veras que Colón es el más decisivo personaje histórico desde la muerte de Jesús. Cristo cambió la historia, Colón cambió a la vez la historia y la geografía, que es más importante que la historia porque la contiene y es otro nombre para la eternidad. Los dos, Colón y Cristo, cosa curiosa, eran judíos. América se anuncia como el nuevo mundo con una frase poética que parece pertenecer al Génesis: «Toda la noche oyeron pasar pájaros». ¿No es Noé?

Hay ahora una actitud ambigua en España hacia el Descubrimiento que no es más que una concesión al chantaje histórico. Pronto sólo los italianos reclamarán a Colón, que se llamará, como un héroe de televisión, Colombo. Sin excusa puedo celebrarlo antes de su celebración oficial porque, simplemente, sin el Navegante errado yo no estaría entre ustedes ahora. Lo que después de todo sería un alivio para algunos. Pero, por favor, consideren que de no estar aquí no estaría en ninguna parte. Con más sangre india que española (aunque mi abuelo paterno nació en Canarias y mi bisabuelo materno nació en Almería, que no es ser tan español tampoco) podría reclamar la tierra en que nací sin sentirme agraviado por una Conquista remota o terremota.

Son los latinoamericanos profesionales que mientras niegan a Colón en español se afincan en las naciones de América donde apenas se habla español. O en las naciones mestizas de América como México, que en su mundo visible debe más a Cortés que a Moctezuma. Ya sé que Cortés no quita lo Pizarro, pero es en Perú donde la población india es decisiva aun en las elecciones. Mientras, ¿casualidad o causalidad?, en Argentina el exterminio de los indios no fue obra extranjera sino nacional. Como testigo de otro genocidio no hay más que interrogar a la cotorra de los atures. (Más más tarde.)

Colón salió de la España medieval y de un viaje entró en el mundo moderno al desembarcar en América, en un verdadero *time warp* histórico y toda la humanidad viajó en esas tres carabelas. Conozco los riesgos posibles de esta apología. La ilustra un viejo cartón del magazine inglés *Punch*. Se ve a un labriego anglosajón que descansa junto a su arado. A su lado aparece un villano de la aldea que se ve al fondo. Hay también un castillo altivo. Ambos, labriego y villano, están vestidos como personajes de Chaucer. Ahora el villano le trae al labriego las últimas noticias: «¿Te enteraste? Hoy termina la Edad Media».

El español del título es por supuesto el nombre de nuestro idioma. No el castellano, que es el idioma de Castilla no de América. Razones políticas (que suelen ser siempre las más irracionales) insisten en que el idioma de España y de América se llame castellano. Es como si el Parlamento decretara que el inglés se llamara desde ahora anglo-sajón. Pero hay en Inglaterra razones políticas (que suelen ser las más oportunistas) que se llaman Escocia y el País de Gales, aunque Escocia no insistió en su idioma reservando su aliento para la gaita.

Si el castellano es el idioma de la Reconquista, al extenderse a América en la Conquista se convirtió en español. El aporte americano al idioma ha sido enorme. Solamente una isla pequeña como Cuba salpica, como pimienta, la lengua de cubanismos y el idioma de los indios perdura en ese libro como la cotorra de los atures. Pero la primera obra literaria de América estaba escrita en un castellano plagado de italianismos. Este libro español se hizo americano cuando el padre las Casas (extraño personaje que fue un santo para los indios y un abogado del diablo para los negros) lo trasladó (es decir lo tradujo) para preservarlo. Se produce entonces un vuelco no histórico sino literario. Las Casas al copiar a Colón produce una pieza de ficción, una novela de aventuras. Temeroso de que lo acusen de alterar el original, el buen padre procede a alterarlo para siempre al reproducir cada frase y cada palabra de Colón. Pero al cambiar la persona gramatical donde Colón impuso su yo, las Casas propuso una tercera persona absolutamente singular. Por afán de fidelidad el *Diario* se convierte así en la primera novela de América.

Pero América no es una novela, es una comedia de errores. Colón la descubre por error cuando iba camino de las Indias y llama a la isla que cree continente por este nombre, en un atroz anacronismo geográfico. A sus habitantes los bautiza de nuevo indios, cuando todos estaban tan lejos de la India como de Cipango o de Catai. El continente toma su nombre no de Colón sino de un oscuro navegante italiano al servicio de España, que sabía dibujar mapas y tenía el sonoro nombre de Amerigo. Los errores se multiplican y crecen. El centro de Cuba, llamado por los indios Cubanacán, lo confunde Colón con el nombre del Gran Khan. Buscando oro el almirante en tierra encuentra el loro pero desdeña el tabaco como un *Green* verde. Al ofrecerle el cacique cubano un puro encendido, Colón le dice amable: «¿Le importaría si no fumo?», y da las espaldas al oro verde. Sus camaradas errantes insisten en llamar al banano plátano, el ananás piña y oyen perros que no ladran. Creen además que los manatíes son sirenas y ya en un vértigo de confusiones llaman a lo que era ostensiblemente otro mundo, Nueva España. Como bien dice Shakespeare: «La confusión hizo su obra maestra».

(La traducción no es mía sino de ese español escueto, Guillermo McPherson, que hizo decir a lady Macbeth, en la tragedia de su marido, cuando ella hablaba de la bondad humana, «el lácteo jugo de humanal clemencia». ¿Gema o germen? En todo caso no es Shakespeare pero es formidable.)

Hace rato ya que organizo escaramuzas contra el hábito de llamar a ese continente-y-medio por el nombre de América Latina como si se tratara de un solo país. La etiqueta se imprimió en Francia en el siglo pasado y luego la pegaron con cola eterna en los Estados Unidos, nación gobernada por un complejo de culpa colectivo. En 1880 se sentían tan culpables de haberse apropiado el nombre de América para uso exclusivo que nos untaron de *Latine*, que venía de París como un perfume raro. ¿Quién es latino en América Central? ¿Qué romano delicado cabalga eternamente los pagos de la pampa? ¿Dónde está el Lacio en América del Sur? Me temo que esa tierra queda como la Utopía en ninguna parte. Las utopías suelen terminar en Etiopía, pero América Latina no es más que esa noción de geopolítica que declara más fácil conquistar un país que un continente, como descubrió Bolívar hace más de un siglo. Bolívar, lo sabemos, ha quedado para puro.

Para ser más armonioso, creo que es un flaco servicio que se presta a la música cubana ahora al llamarla latina, como se hace en la prensa. Es borrar de un golpe a la mayoría de los músicos cubanos que son, como en el jazz, casi todos negros —a no ser que se les quiera conceder la ciudadanía romana. A la música cubana del exilio, que muchos llaman salsa cuando no es más que aliño, se le podría cantar así con letra y música de Duke Ellington:

She's a Latin from Manhattan
and she calls herself Dolores.
(Que se pronuncia dólares)

¿Soy un latino en Londres? Diría que más bien soy latoso al insistir en la dudosa latinidad de América, tan falsa como un Séneca español. Si califico para estar entre ustedes no es por ser latino sino porque puedo hablar español con acento habanero. Pero estoy en Madrid, no en La Habana Antigua, la cuna del requiebro y del choteo. Una pregunta me asalta como un chorizo armado —¿es latina España?

Hablando de asaltos, hace poco sufrí más que toleré en Londres una entrevista confusa. Siempre he preferido mis entrevistas más escritas que transcritas. Especialmente si yo mismo escribo las respuestas y de ser posible las preguntas. Suelen resultar más fieles. En esta entrevista de ahora la entrevistadora, que era bella como las bellezas del cine negro, venía grabadora en ristre. Lo que me parece más peligroso que esgrimir libreta y lápiz. Nunca he creído que la alta fidelidad ayude al estado de las artes sino al ruido. La entrevistadora publicó, en efecto, una imagen del espejo. Opuse al refrán francés «África empieza en los Pirineos» un dicho inglés que dice: «Los negros empiezan en Calais». La oposición salió impresa al otro lado del fastidioso fax como un lugar común posible. Lo que dije, precisamente, es que América *debía* comenzar en los Pirineos. Una España europea es para mí como una Inglaterra en Europa. Ambas naciones son demasiado diferentes, demasiado originales para sentirse bien al lado de Bélgica o de Holanda. ¿Quién concibe una España europea criando toros de lidia?

Preveo una nota de prensa futura:

Ayer en la plaza de las Ventas el diestro holandés
Van Gogh cortó una oreja.

La otra falsa noción americana pertenece a la literatura. La reciente novela en español que vino de América se ha leído en España como un corpus coherente. Esa visión es un espejismo español. Un examen somero mostraría que Cortázar es de Argentina, Donoso de Chile, Bastos de Paraguay, Vargas Llosa de Perú, García Márquez de Colombia, Onetti de Uruguay, Juan Rulfo de México y Lezama Lima y Carpentier de La Habana. Pero todos se perciben aquí como si fueran escritores regionales, no nacionales. Hace tiempo que esos países dejaron de ser provincias de España y cada uno de ellos, como esos escritores, tiene características propias. Creer otra cosa es mirar a la literatura canadiense como venida de Estados Unidos. Es el español que todos hablamos con distinto acento que ofusca o ilusiona. La literatura latinoamericana no existe. Existen, sí, algunos escritores de América que parecen escribir el mismo idioma a veces.

Personalmente puedo decir que en España han sido generosos en extremo conmigo, literariamente hablando. Aquí se premió mi primera novela, aquí se han publicado primero todos mis libros (excepto tres), aquí la crítica me ha tratado como si fuera de la casa. Bajo la censura de Franco se prohibió pero luego se autorizó la publicación de dos libros míos lo suficientemente subversivos como para no haberse publicado jamás en mi país. No pude, mientras vivió, hacerle llegar a mi padre y a través de mis editoriales españolas siquiera un ejemplar de los que enviaron a su nombre a La Habana. En Cuba el cartero también lleva uniforme. No me lamento. Si he perdido un país he ganado nuevos lectores. Entre los más fieles están los agentes de la Seguridad del Estado, que con los años han aprendido a leer sin mover los labios. Por otra parte he contribuido no poco a la bolsa negra cubana. Según un escritor inglés que visitó La Habana el año pasado mis libros eran objeto de un culto extraño entre las ruinas. Pasados de contrabando se vendían a estraperlo por el precio de ¡diez latas de leche condensada! *La Habana para un infante difunto* estaba entonces en la lista de libros más cambiados. En primer lugar del canje se instalaba incómodamente un libro sobre la perestroika (que en La Habana la pronuncian la espera estoica) y su autor se llamaba, se llama todavía, Mijaíl Gorbachov. Era la primera vez que en Cuba comunista un autor soviético cobraba sus saneados royalties no en pesos sino en especie.

Me siento de veras honrado de ser no sólo amigo y admirador de los que han compartido conmigo esta semana, sino de haber anunciado hace ya cinco años que la próxima ola de la novela en español no vendría del Atlántico y del Pacífico sino del Mediterráneo, aunque tengo mis dudas acerca del Cantábrico. A muchos de los que han estado aquí les agradezco su constante aprecio literario. (El cine es para mí la narración por otros medios.) También por un efecto que va más allá de los años (los míos) y de la distancia (la que hay entre Madrid y Londres) que me ha permitido poder calibrar su talento más de cerca. Ellos también han hecho posible esta nueva España.

Quiero terminar, como hacía el Infante Don Juan Manuel, con un ejemplo. Había tantas cotorras, loros, papagayos y pericos en el Nuevo Mundo que América era conocida en los mapas del siglo XVI como *Terra Psittacorum*, la tierra de las cotorras. Repiten los psitacólogos que los navegantes españoles usaron las primeras cotorras cautivas como símbolos de la fascinación de las islas. Colón mismo vino buscando especias y lo primero que adquirió de los indios fueron especímenes de una especie llamada el gran papagayo rojo de Cuba, considerado entonces como un ave muy magnífica pero está ahora en vías de extinción.

El intrépido explorador alemán Alexander von Humboldt (de quien se dice que fue el segundo descubridor de Cuba y primero de Venezuela) navegó del Caribe al continente y se internó en el Orinoco. Humboldt cuenta que encontró en las selvas del Orinoco una cotorra muy, muy vieja que se crió entre los indios atures. La tribu de los atures, como era costumbre entre los arahuacos, se mostró más extinguida que distinguida y desapareció de la tierra sin dejar trazas. La cotorra sin embargo vivió para contarlo. Escribió Humboldt maravillado: «Esta ave era la última cosa viva en este mundo capaz de hablar ature». ¿Será el español de América un día todo ature y nosotros los americanos sólo cotorras impresas?

Si te digo que tengo la sitacosis y te quedas como si tal cosa.

(Leída en la Fundación Sánchez-Ruipérez, en Madrid en octubre de 1990.)

Colón imperfecto*

Hay ciertos momentos íntimos en la historia temprana de América que pertenecen más a la historia de la literatura que a la historia. Ocurren precisamente donde comienza la historia del Nuevo Mundo al encontrarse con los hombres que van a hacer de la naturaleza historia. Una canción moderna lo expresa mejor al describir qué ocurre cuando un inmóvil objeto tal cual se encuentra con una fuerza irresistible así.

Después de desembarcar en Cuba por una aldea india llamada Gibara (donde, por cierto, nací), un centinela perdido llamado Rodrigo de Jerez regresó de una exploración con buenas noticias para el Almirante al contarle lo que vio: «Una visión preciosa y rara, señor», juró Jerez. «Hemos visto a hombres humanos que fuman cual chimeneas. Por favor, señor, venga y vea.»

Colón, todavía mareado por el viaje, accedió, y fue a encontrar a un cacique fumando sentado bajo una simaruba. (La historia, ciencia incierta, no dice a ciencia cierta dónde se sentaba el cacique y el árbol de la simaruba es una indecencia poética: lo nombro porque tiene tan buen

---

* «Aquél cuyo sentido depende de otro miembro del período.» *Real Academia de la Lengua.*

nombre.) El jefe indio fumaba un *ur* cigarro (todavía no había marcas registradas) que era sin embargo genuino. De Jerez, un jerezano, estaba encantado. También lo estaba su colega Luis de Torres, que vino a América porque hablaba arameo. Al contratarlo Colón pensó que un viajero no sabe nunca cuándo un hombre que habla arameo puede ser útil. Era, además, la lengua de Nuestro Señor. De Torres era, como Colón, un converso que podía conversar en seis idiomas. De Jerez, que escribía su nombre con una X, sólo hablaba español pero oloroso.

Colón vino, vio y se dejó conquistar por su obsesión. De Sopetón, otro intérprete, le preguntó al cacique por entre el demasiado humo y el polvo del camino: «¿Sabe usted por casualidad dónde queda la tierra en que el oro crece?» El jefe indio, después de muchas señas y algo de arameo, pareció entender: «Ah, sí, claro», dijo. «El señor quiere decir Cubanacán.» Todos sabemos (o debiéramos saber) que Cubanacán quiere decir en taino el centro de Cuba, pero Colón oyó lo que quiso oír. «¡Ah, Cuba na Khan!», exclamó. «¡El reino del Gran Khan!», dijo y casi dijo King Khan.

Está también la vida y muerte de un hombre obsesionado no con el oro sino con la juventud eterna. Como toda gente preocupada con la juventud, ya no era joven. Igual a un conquistador, la juventud lo conquista todo. Excepto por supuesto el tiempo. Ponce de León quería, como Dorian Gray, ser joven eternamente. Al no tener su retrato pintado por Wilde, Ponce y otros once creían que la Fuente de la Juventud estaba escondida en un recóndito lugar de América. Prematura versión de Fausto, Mefistófeles le susurró a Ponce en su vieja oreja: «Viaja, viejo León, al oeste», y le reveló que la fuente quedaba enfrente, en lo que hoy es el escenario de *Miami Vice*. Al oeste y más allá de la corriente del Golfo fue Ponce a descubrir unos cuantos pantanos llenos de saurios y serpientes (y mosquitos) que él llamó Florida. El ilustre Ponce, en retribución, fue herido por la flecha de un indio que tiraba al azar y su sueño se transformó en esa vulgar pesadilla que es el delirio antes de la muerte. La flecha errática resultó certera.

La última frase de Ponce es válida todavía. Dijo: «Quiero ver La Habana antes de morir». Hoy sólo habría que alterarle el énfasis y un adverbio: «Quiero ver La Habana *después* de morir». *(Sale Ponce por el foro perseguido por su león.)*

Lo que Florida fue para Ponce de León fue el Mississippi para Hernando de Soto. Como su tocayo Hernán Cortés, había salido de Cuba para conquistar el continente —y fue conquistado por el contenido: indios que tiraban a dar. Primero fue a Cuzco como subalterno de Pizarro, el hombre que jodió al Perú primero. Después de ayudar a Pizarro en su empresa, De Soto regresó a La Habana, donde lo premiaron como gobernador de Cuba y adelantado de La Florida. Salió de nuevo al continente, navegando con rumbo norte noroeste, que hace de la brújula una aguja de marear cabezas. Dejó detrás a su esposa Isabel de Bobadilla, lista para convertirse en la primera viuda profesional de América que hizo público su dolor.

De Soto descubrió el Mississippi, resultó muerto por otro francotirador indio y fue enterrado en las oscuras aguas tarde en la noche, de manera que los indios creyeran que estaba vivo todavía. Ésta es una vieja treta española. La usaron con el Cid la primera vez. La última vez que la emplearon fue con Franco, que murió mil veces antes de enterrarlo. Aun hay algunos que creen que fue enterrado vivo. En el siglo XX la leyenda que fue De Soto se convirtió en un automóvil de ocho cilindros. Raymond Chandler invoca su nombre a menudo, como en la frase de Marlowe: «Me seguía de cerca un De Soto». *Sic transit.*

En el Perú y para aliviar el ocio del indio cautivo, De Soto enseñó a Atahualpa a jugar ajedrez, después de convencer al prisionero que los reyes y las reinas del juego eran más reales que la realeza. No se sabe bien cómo, pero Atahualpa llegó a creer que si les ganaba a los monarcas, reina y rey, de la oposición quedaría libre. Está claro que si Atahualpa creía eso creería cualquier cosa. Pero se hizo tan buen jugador de ajedrez que le ganó todos los juegos al gran maestro De Soto, incluyendo la última partida. Llevaba razón el inca. Inmediatamente después del juego Atahualpa quedó libre. Pizarro lo liberó con extremo prejuicio y estranguló a Atahualpa en jaque mate. Nunca supo el indio que la frase jaque mate viene del persa y quiere decir muerte al rey. Es que el ajedrez siempre ha sido un juego peligroso.

Así era y así es la vida americana. Desde el principio nuestro pan cotidiano ha sido miedo y miseria en todas partes y no se salva del rey abajo ninguno. Pan y terror al desayuno, terror y pan al almuerzo. La comida se come siempre bajo toque de queda y hasta las almohadas tienen orejas y a veces boca. A cualquiera lo levantan pasada la medianoche, arrestado y considerado culpable aun después de muerto. La vida se vive de allí a la obscenidad. La obscenidad prevalece porque sobrevive al hombre y a veces a la mujer. En La Española, isla amada por Colón, la obscenidad ha sido pan diario, una suerte de mandioca ponzoñosa para el alma que no se puede llamar alimento de dioses sino el mendrugo que queda después del banquete, maná mañoso.

En Cuba, a la que Colón llamó la tierra más hermosa que ojos humanos vieron, la obscenidad sigue en pie. O en bota. La obscenidad anda suelta por el mundo, especialmente en el Nuevo Mundo. No hay más que mirar a Panamá con los ojos de un noticiario cualquiera. ¿Es este el Panamá al que cantó Lope de Vega en el siglo XVII?

Me voy a Panamá

dijo Lope como en una canción de cuna. Panamá existía entonces sólo como un nombre exótico. Pero ¿qué ocurre en el presente? ¿Querría Lope ahora irse a Panamá como decía?

Lorca, tres siglos más tarde, proclamaría:

Iré a Santiago de Cuba.
Iré a Santiago
con la rubia cabeza de Fonseca.

¿Tengo que decirles que Fonseca ya no vive allí?

Pero de esa simiente (aun si miento) viene nuestra gente. Vienen del mismo inicio, aun antes del inicio. *Ab ovo* es una frase cara a Colón, que una vez demostró que estaba en lo cierto al poner un huevo en pie. El huevo es aquí el Nuevo Mundo. Colón escribió su diario (en realidad un cuaderno de bitácora) en un español contaminado de portugués. Las dos lenguas literarias de Sudamérica estaban ya presentes en su prosa y mostró en su diario que es nuestro contemporáneo. Pero el diario se perdió y lo que tenemos ahora es un facsímil hecho por el padre Bartolomé de las Casas, el cura que, de acuerdo con Borges, «tuvo mucha lástima de los indios que se extenuaban en los laboriosos infiernos de las minas de oro antillanas y propuso al emperador Carlos V la importación de negros, que se extenuaran en los laboriosos infiernos de las minas de oro antillanas». Las Casas, al que el Argentino llama «curiosa variación del filántropo», fue la primera máquina de fax que operó en América. Lo que copió Las Casas es un documento invaluable que es también una obra maestra de la literatura. En el diario, Colón está descrito en la tercera persona del singular para convertirse en un personaje de su propia narración, igual que, por ejemplo, Marcel Proust o Ellery Queen. Hablen, entonces, de antecedentes.

Pero el primer verso verdaderamente americano fue una anotación hecha el 9 de octubre de 1492 (anoten), exactamente tres días antes del Descubrimiento. La anotación final en la vulnerable bitácora antes del Descubrimiento es una de las más misteriosas, gloriosas y bellas frases en la historia de la literatura americana:

«*Toda la noche oyeron pasar pájaros.*»

Pasar pájaros es para dar la bienvenida al Nuevo Mundo con una aliteración que es una alteración: los pájaros bien pudieron ser aves nocturnas o aves tardías, avutardas o autillos en la noche. Muchos siglos más tarde, otro escritor judío, Cristóbal Colón de la prosa del siglo, Gertrude Stein, era Gertrudis de piedra escribió:

«*Pigeons in the grass alas.*»

En que *alas*, ay, debe leerse alas. Alas y palomas vuelan ahora sobre Colón, el hombre con nombre de paloma. Una paloma solitaria regresó a la mano de Noé en el arca con una hoja de olivo en el pico para anunciar que el diluvio, es decir la Mar Océana, había terminado. «¡Tierra!», gritó desde la cofa Rodrigo de Triana. «¡*Por* Cristo!», exclamó Colón, el hombre que llevaba en su nombre el nombre de Cristo. Con Colón, Cristo vino a América ya en el primer viaje.

Pero, *alas*, Colón era un hombre codicioso, un heraldo de Cristo que podía moverse ágil entre los mercaderes fuera del templo.

Colón creía que el oro era algo más que un palíndromo: era un dios, casi Dios. «El dinero hace al mundo girar», dice la canción, pero también te puede hacer dar la vuelta al mundo. *(Sale Colón por el foro perseguido por el oro.)*

La tímida poeta (para ella una poetisa era un papagayo, un ave que repite lo dicho con plumas de colores) Louise Bogan escribió sobre las «estructuras ornamentales, continentes aparte, separados por el mar», en un poema llamado justamente «Comentario barroco.» La literatura de mi América, aun la del Brasil, hasta los sonidos del tambor en Haití, habla no sólo un lenguaje simple, singular, sino que los signos de nuestros dialectos forman un comentario barroco, como el hecho en esa canción carioca: «Estoy loco por ti, América». Todo comenzó con Colón pero también con Cortés.

Hernán Cortés, que era alto, bien formado y con barba roja, pudo seducir a una princesa mexicana de Tabasco llamada Malintzin. Los españoles la llamaron doña Marina pero luego fue la Malinche. Cortés la llamaba «mi lengua», queriendo decir su intérprete. Ella fue la llave del reino azteca y todavía los mexicanos odian a esta india llamada mucho Malinche. Cortés tuvo un hijo con ella y este mestizo fue de hecho la lengua española de América, mitad castellano y mitad idioma nativo. Pero lo Cortés no quita lo Pizarro y el juego de lenguas no abolirá jamás la crueldad, la avaricia y la malicia: trío terrible.

Aunque bien escrito en inglés pero peor leído, este discurso mío no habría tenido nunca lugar sin Colón o Cortés. La Malinche (oigan el mal en su nombre) ha sido descrita, sobre todo en México, como una mezcla de la Encantadora y la que hablaba, como la serpiente, con lengua torcida. Si es verdad, entonces Cortés, entre todos los padres, es nuestro Adán. Colón con Cristo tiene que ser nuestro Dios: aquel que creó un mundo al descubrirlo. No nos lo dio todo, no. ¿Pero quién puede contar los dones divinos?

Todos estos soldados, aventureros y hombres de acción eran también escritores extraordinarios. Hubo saco y venganza pero también hubo el relato de la maravilla vista a través del espejo español.

Ni Hernando de Soto ni Pizarro, mucho menos Aguirre, que vivieron días y noches de ira, sabían escribir (me pregunto si sabían leer) murieron antes de que pudieran aprender. Pero otros conquistadores, como Bernal Díaz del Castillo, que escribió sus memorias cuando todo lo que le quedaba era memoria, o Álvar Núñez Cabeza de Vaca, que escribía como un ángel caído (de hecho era un escritor natural para el cine) acerca de sus naufragios y su cautiverio entre los indios hostiles del Golfo. Esas crónicas hacen creer que estos hombres no eran nada ordinarios: eran extraordinarios. Hasta que el lector recuerda que estos españoles de tres mundos estaban emparentados con aquellos escritores españoles que inventaron la novela picaresca, ese gran avatar de la novela que no ocurría desde Petronio, que escribió de pícaros y pederastas en la Roma de Nerón. Al final de la era española, que coincide más o menos con el final del siglo XVI, vino venciendo esa enorme novela picaresca que creó, al pasar, la novela moderna. Hablo, claro, de *Don Quijote*, un libro que si tan sólo los reaccionarios que ocuparon el lugar de los adelantados, hubieran dado permiso para emigrar a un tal Miguel de Cervantes y Saavedra, hubiera sido escrito en América. ¿Que les parece *Don Quijote de las Indias*? ¿Qué tal Sancho Pampa? ¿Fantasía americana? Cervantes en la segunda parte del *Quijote* hace elogio y alabanza de Cortés y lo muestra como caballero ejemplar. Ni más ni menos su par.

Todos estos hombres comenzando por Colón, se hicieron escritores en América, donde el idioma español se encontró con vidas más grandes que la vida, con paisajes nuevos y descomunales, con mitos que duran todavía. El choque del idioma con el relato de aventuras y peligros imposibles de imaginar en España, convirtió a estos escritores en autores de novelas de caballería hechas realidad. Estos hombres (Cortés, Cabeza de Vaca, Bernal, *et al*) se hicieron escritores porque enfrentaron de sopetón un mundo tan nuevo que era desmesurado al hombre, excepto al relatarlo, al escribirlo. Todo empezó con Colón y no acaba todavía. La medida, al parecer, nunca será completa. Pero hay que tratar.

Volver a Colón entonces. El principio siempre contiene su fin. Colón se encontró con el jefe indio debajo de la simaruba. Como regalo de recibimiento el cacique le dio a Colón un habano. Todavía no se llamaba habano pero era un puro encendido no un cabo de tabaco: el cacique no era un griego que trae regalos. Colón tomó el cigarro para mirarlo, pero lo cogió por mala parte. Husmeó el humo y rechazó aquella tea. Colón hizo una venia y suplicó, su gesta hecha gesto, lo que ahora es moda, y dijo:

—¿Le importaría mucho si no fumo?

(Leído en inglés en el Castillo de Leeds en el simposio «Latin America: Its Artistic Expression» en mayo de 1989.)

Escenas de un mundo sin Colón

Una hipótesis tiene siempre la consistencia de un sueño —o de una pesadilla— y casi tanta cantidad de irrealidad. Pero, de veras, ¿se imaginan ustedes un mundo sin Cristóbal Colón? ¿O tal vez que Colón nunca hubiera llegado al Nuevo Mundo? ¿Qué nadie, *nadie*, hubiera descubierto América? Como auxilio más a la imaginación que a la navegación histórica, hago listas.

Vamos a imaginar, usted lector y yo, que el conato de motín a bordo en la *Santa María* el 3 de octubre de 1492, escamoteado de su bitácora después por el propio Gran Almirante, de veras hizo efecto la noche del día 6, a sólo seis días del Descubrimiento. Martín Alonso Pinzón, en vez de apoyar a su almirante, vino a la nao capitana a sumarse a la llamada «sublevación de los vizcaínos». Colón, en medio de la traición confusa, increpa a los amotinados y les echa en cara su deslealtad al no respetar su juramento de lealtad cuando salieron de Palos. Ahora Colón invoca las Capitulaciones de Santa Fe y la confianza puesta en él por Sus Majestades Católicas. Además de la gracia de sus soberanos a que alude, el Gran Almirante de la Mar Océana apostrofa a marinos y oficiales y grumetes: la tripulación toda. Luego hace un último ruego a que desistan: «Si no lo hacen por el rey, háganlo por la reina».

Fatum O'Nihil, el único marino irlandés a bordo, inquiere: «*Isabella? What about Queen Isabella?*» Pero Colón no puede responderle. No porque no sepa inglés sino porque en ese momento es levantado en hombros, como un torero en triunfo, en la derrota que es su rumbo. Colón es echado, sin la ceremonia que acompañaría a un cadáver entregado a las profundidades, de cabeza al mar. (Que justo en ese momento ha dejado de ser océano, no más Atlántico, casi Caribe.) Colón dura poco entre las ondas: el almirante no es flotante. Colón, señoras y señores, ¡no sabía nadar! Como se verá enseguida. Lo que queda visible de su cuerpo —brazos que aletean, cara de *horror vacui* (o más bien *aquae*), cabeza rubia que la negra noche hace negra— se hunde en «las heladas aguas del cálculo egoísta» como dijo otro judío en otra ocasión. Instantes después de hundirse por tercera vez, que es la última, Christovoro Colombo, natural de Génova, Italia, de edad dudosa y de oficio descubridor, desaparece para siempre de la faz de la tierra.

La nao capitana ya sin capitán, después de este naufragio que recuerda la caída de Ícaro según Brueghel, tuerce el rumbo y seguida siempre por la *Pinta* y la *Niña*, endereza el timón de vuelta a las Islas Canarias y finalmente a España.

Siglos después una guaracha registra la cobardía extrema del acto:

Los hermanos Pinzones
eran buenos marineros.
Amigos de las Bobadilla
les gustaban las torrejas.

Como Colón no descubrió a América, no habrá América. Ese usurpador italiano, que tiene tanto de Marco Polo como de Maquiavelo, Amerigo Vespucci, no vendrá nunca a América y no escribirá lo que un oscuro geógrafo alemán no llamará sus *Quatour Americi Navigationes*, ni insistirá que el hemisferio sur se llame «ab Amerigo». El propio Vespucci no escribirá sus cartas de América porque no habrá una Casa de Contratación de Indias para contratarlo ni pasará, porque no tenía motivo ni rencor, al servicio de Portugal para no descubrir Río de Janeiro. Todo el inmenso Brasil no quedará en manos portuguesas.

Mientras tanto el padre Bartolomé de las Casas (al que un escritor, que nunca se llamará Borges no habría injuriado con el epíteto de «curiosa variación de un filántropo») no habría copiado el *Diario de A Bordo* de Colón, que un Pinzón (o el otro) habría destruido por ser evidencia del motín y del asesinato. Así el buen padre no habría descrito los bosques de Cuba, «por encima dellos y de rama en rama una ardilla podría recorrer la isla de un extremo a otro», entre otras cosas porque en Cuba no había ardillas. Además la isla misma no existiría al no estar en los mapas de la época.

Por su parte los aztecas persistirían en su esplendor de Metshiko, alimentándose, literalmente, de otras tribus y de cuando en cuando celebrando sus ritos, en que *la pièce de resistance* sería sacarle el corazón latente a vírgenes solteras con un cuchillo verde de obsidiana. Los mayas, ya en su extraña decadencia, habrían dejado detrás (por gusto) sus magníficas pirámides que turistas japoneses no podrán fotografiar jamás. Pero el equivalente de la diosa griega de la victoria, Niké, se llamará Nikón. Aunque la invención de la camarita demorará todavía muchos años porque nunca hubo un inventor llamado Edison para inventar la película y otro llamado Eastman no creó la cámara Kodak.

Como los navegantes vikingos no escribían diarios de navegación, la América del Norte no tendrá lugar. Sin USA la derrota alemana de la Primera Guerra Mundial (que sí sucedió) se vería convertida en victoria, a la que Inglaterra tendría que acomodarse y Francia se ahorraría la humillación de la Ocupación y el oportuno colaboracionismo de más tarde. Hitler por supuesto habría tenido que seguir su carrera de pintor de caballete de casa en casa y Mussolini tal vez habría debutado en La Scala —como *partichino*. No habría tampoco *partigiani* para combatir sus gallos con trompetillas y huevos podres.

Lenin no habría viajado, en la primera clase histórica de un tren alemán sellado, hasta la estación de Finlandia, porque los alemanes, no había por qué, no se lo hubieran brindado. Kerensky, convenientemente embalsamado, ocuparía hoy el lugar de Lenin en el mausoleo de San Petersburgo, porque, entre tantas cosas que no ocurrirán, Moscú no volverá a ser la capital de Rusia. Marx, en cambio, sí existirá, pero como un economista aficionado cuya obra capital, *Das Kapital*, es su venganza por los muchos forúnculos. Nadie leerá este libro, traducido a ningún idioma por demás, y nunca llegará a ser la biblia del capitalismo de Estado. Karl Marx sí hay pero no, ay, Groucho.

Si Martín Alonso Pinzón hubiera cumplido lo que pensó una vez o dos y la chusma de a bordo que quería más regresar a casa a tiempo para el gazpacho que llegar a América, se hubiera amotinado y asesinado al empecinado marino loco o le hubieran obligado a dar media vuelta náutica, no habría habido comunismo en Rusia ni sus consecuencias, el nazismo y el fascismo. Franco, por supuesto, se habría retirado con una pensión de general que no ganó nunca una batalla y su teniente, Manuel Fraga, no se daría ahora aires de estadista volante, ni tenido que inaugurar un museo en la casa de sus padres en Cuba, porque no habría habido emigración gallega a una tierra que nunca existió. Su padre en vez de vender *guarapo* en Banes tendría un museo (léase quiosco) en la calle Atocha.

En Estocolmo no habrían ninguneado al gran Darío, que como indio puro y no como mestizo no habría escrito un solo verso en español. Todavía le habrían dado el premio a Juan Ramón Jiménez, que no hubiera sido seguidor de Darío sino tal vez un poeta original. Como a Borges, tampoco le habrían dado el Nobel a Neruda ni a Mistral, porque no existieron, pero tal vez Asturias habría tenido un premio por la consolación de ser indio. Aunque los indios, al no haber un Colón que llegara a las Indias para nombrarlas, tampoco serían indios.

En España no podría ir nadie de fiestas a un guateque ni fumar puros (pero sí porros) ni cigarrillos hechos de tabaco y no llamarían a los políticos caciques. Una tercera parte del Diccionario de la Real Academia, que seguiría siendo real, quedaría en blanco por ausencia de americanismos. En el no guateque nadie bailaría rumbas ni sones (que jamás se llamarían salsa) ni mambos, aunque el chachachá, por lo que tiene de choteo y chotís, tal vez habría sido creado por un Jorrín de Jerez. Pero, piénsenlo, no habría Antonio Machín que cantara boleros. Peor aún, no habría Olga Guillot ni Celia Cruz ni Beny Moré —ni, ¡uh!, Pérez Prado. Tampoco habría concurso de habaneras en Tarrasa ni nadie bailaría tangos como Valentino. Ni habría jazz ni blues ni rock ni rap, porque no habría negros en una América que nunca existió. Como no hubo trata, el continente entero resultaría de un infinito aburrimiento indio y la sola diversión, al son de pífanos y chirimías, sería el tamborcito en el sur —mientras en el norte las guerras tribales en que los cheyennes tratarían de exterminar a los sioux, y los pielesrojas acabarían con los más oscuros apaches sin siquiera usar caballos ni rifles de repetición. Pero peor, no habría oestes ni John Ford —y, lo que es peor aún, no habría películas de John Ford.

Nadie, por supuesto, comería patatas, ni fritas a la francesa ni como paja. Pero no habría la gran hambruna de Irlanda en el siglo pasado por el fracaso de la cosecha de patatas y ningún irlandés habría emigrado a unos Estados Unidos que nunca existieron. (Tal vez así el mundo se habría librado de la plaga Kennedy para siempre.) Habría bananas pero de África y no habría ni aguacate ni tomate con que hacer una ensalada mixta. Habría café pero no habría chocolate y la marca Godiva quedaría en cueros para siempre. No habría Panamá y por tanto tampoco sombreros de Panamá y aunque habría opio y morfina y heroína, no habría cocaína, ese estimulante tan caro al mundo del cine.

Pero no habría cine porque los Lumière sólo hicieron adoptar y adaptar una invención de Edison, que como ya hemos visto fue un inventor que nunca inventó. No habría Hollywood y aunque los alemanes tarde o temprano habrían inventado el *kino*, nadie llamaría a Berlín la Meca del Kino. Habría fotografía gracias a Daguerre y a Niepce pero nunca *le cinéma* en Francia. No habría Marilyn Monroe viva o muerta. No habría tampoco la belleza americana de Ginger Rogers, ni la vera beldad de vaca sagrada de Kim Novak, ni las piernas de Cyd Charisse, y aunque habría habido una Rita Hayworth, llamada Margarita Cansino en Sevilla, no sería lo mismo, créanme. Y Greta Garbo se habría quedado en Suecia, todavía llamada Gustafson. No habría Fred Astaire, aunque habría un bailaor en Cádiz llamado Alfredo al Aire. Además no habría habido nunca un mundo colorado.

Si Colón no hubiera invocado a los Reyes Católicos, a Cristo y a Dios mismo, que había creado la estrella polar para que guiara la nao capitana. Si Martín Alonso no hubiera remado de su carabela a la *Santa María* y apoyado al Gran Almirante en su visión de un Asia para los europeos. Si Colón no se hubiera alabado como un santo delante de sus reyes al regreso —sí, de América— declarando que se guió más por la profecía de Isaías que por los cuerpos celestes, que gobernaban sólo su brújula y su astrolabio pero no su suerte. Si el Almirante alucinado o agente secreto de Dios, no hubiera visto el alba americana, nada de lo enumerado existiría ni siquiera como negación. Y he dejado fuera más, mucho más. O más bien, menos, mucho menos.

Sin Colón no habría habido América pero tampoco América Latina y los aborígenes del centro y del sur no se verían, indios puros, llamados latinos, un mote que no comprenden en un idioma que no hablan y ser aztecas o mayas o chibchas o incas o araucanos o quechuas o guaraníes que cargan con una latinidad que es el bautismo de una religión laica. O una burla.

Si Cristóbal Colón no hubiera descubierto a América, nunca habría escrito yo estas enumeraciones vertiginosas que ustedes leerán tal vez con igual vértigo. Pero tampoco habría existido Fidel Castro ni el horror totalitario que implantó en la isla que el Descubridor llamó «la tierra más fermosa que ojos humanos vieran». No habría un Castro Ruz porque su padre gallego y su madre libanesa nunca habrían emigrado a una isla desconocida, que siempre se llamó Cuba. Pero si el precio de salir de la nada un momento para entrar de nuevo en la nada, que es el ser, fuera el no ser, pagaría con gusto la otra nada. Así con el placer del conocimiento vería a los amotinados del 9 de octubre de 1492 convertidos en ángeles exterminadores de la historia —y echado al odiado genovés de una vez al mar.

Febrero de 1992

Ser o no ser breve

Todos los oradores desde Demóstenes (que era tartamudo, por eso se demoraba tanto en una sola palabra) han comenzado a hablar con la misma frase: «Seré breve». Me pregunté siempre por qué, sobre todo cuando sólo Pepino admitió el adjetivo como nombre. Ningún orador tiene la intención de ser breve sino la de ser eficaz. Pero declarar la intención de ser breve cuando se sabe que nadie lo será es una frase encantatoria, una fórmula mágica, un ritual y un dogma sin magia. Cada uno de ustedes, es decir de nosotros, dirá, diremos, que seremos breves y esa frase será lo único breve.

Así veremos al rector de la mesa pasar sucesivas papeletas pidiendo, suplicando, ordenando que sea breve, que apure su fin. Ninguno imitará a Demóstenes, quien, ante una orden conminatoria parecida, según dice Lemprière, bebió de un frasquito que siempre llevaba consigo y apuró la cicuta tan cara a su maestro. (Por Platón interpuesto.) La brevedad es un arte que hay que aprender en silencio con riesgo: es el arte del silencio.

En un viejo pero inmortal cartón de *The New Yorker*, uno de esos oradores de sobremesa tan abundantes en el mundo social anglosajón, se puso en pie después de los postres y el café (también repartieron puros: eran otros tiempos y otras costumbres) para declarar, «Seré breve». En ese momento una enorme araña que pendía exactamente sobre su cabeza cayó y lo aplastó para hacerlo de veras breve para siempre: al lustre por el lustro.

Esta tarde no habrá una lámpara como una guillotina sobre mi cabeza. Para asegurarme que sea así alguien leerá lo que he escrito y mi seguridad dependerá de un seguro servidor. La conexión entre mis palabras y sus orejas tan atentas como las de Van Gogh (que por oír perdió una de ellas, con el resultado que conocemos: desde entonces se le conoce como Vincent Van), esa conexión por supuesto soy yo mismo. Ahora que lo recuerdo (casi lo olvido: soy un amnésico que escribe sus memorias), no olvidaré ser breve.

La cultura está hecha, como toda colección humana, de memoria. No hay cultura, primitiva o sofisticada, sin memoria. Uno de los pueblos aparentemente más primitivos del globo, los aborígenes de Australia, están entre los artistas plásticos más sofisticados de la historia de la pintura de Altamira a Picasso, ese falso primitivo. El exquisito arte de los aborígenes es una manifestación de la memoria de la raza y su religión, una de las más conmovedoras que conozco, está toda hecha de memoria.

El aborigen (es decir, el verdadero australiano) idolatra a una Australia que no queda en el mapa sino que está hecha de la memoria de sus sueños. La llama, porque no está en el espacio, *dreamtime,* el tiempo del sueño, la *alcheringa* donde una vez vivieron su edad de oro metafísica y a la que va a vivir cada noche, cuando el tiempo y el espacio confluyen, fluyen. El río de Heráclito se convierte entonces en el enorme desierto al que vuelven y los envuelve. Por el día deambulan sin cansarse en busca de su era perdida, ayudados por el whisky al que los blancos los iniciaron hace poco. Los he visto en Alice Springs, un pueblo del oeste al que convierten en un verdadero *ghost town*, mientras desfilan bajo el sol del desierto con sus ojos ciegos, viniendo desde la prehistoria sin llegar nunca a la historia. Para un aborigen australiano no hay más que memoria y vacío. Ese abismo lo llenan con los sueños de la tribu. No hay otra nación exiliada en su tierra que viva tanto de la memoria que puebla cada noche sus sueños. La única excepción posible son los judíos que originaron el judío errante: de entre ellos surgió *Jewlysses.*

El siglo es el *dreamtime* de todos: el tiempo es el espacio de la memoria ahora. El tiempo nos hace recorrer el espacio de la memoria. La cultura se ha hecho memoria. Los grandes monumentos literarios de nuestra época son *tours de force* de la memoria y hasta una teoría científica, la de Freud, se basa en un mecanismo de la memoria, los sueños. Sin memoria no hay nada. Esta línea que ahora escribo no tendría sentido, no sería siquiera posible, sin la memoria. Al final de la línea, ahora, las palabras anteriores se habrían borrado para siempre. Hay servidumbre y uso en la memoria. Las frases «Si la memoria me es fiel» y «Si mi memoria no me traiciona» hacen parecer a la memoria como una amante casquivana. Sin embargo no hay compañía más pegajosa: llevamos nuestra memoria a todas partes. La memoria es un vademécum: va contigo. Es también la madre de la moral: nuestra conciencia está hecha de memoria. La culpa es el recuerdo de un crimen.

En nuestro tiempo la memoria parece haber nacido en el exilio. Joyce en Trieste recuerda a todo Dublín, Proust en su exilio de corcho recuerda toda su vida. Una de las grandes memorias de la segunda mitad del siglo ocurre cuando Nabokov recuerda en el exilio el pasaje y pasadizo de su memoria. El libro se titula *Habla, memoria*. Nemósine es nuestra diosa: ella es madre de las musas y de la memoria.

En la ficción hay dos personajes memorables hechos de pura memoria: sin ella no existirían. Me refiero a Ireneo Funes en «Funes el memorioso» y al Mr. Memory de *Los 39 escalones*. Ireneo Funes, inválido, vive para recordar y Mr. Memory, válido, vive de recordar. A los dos los mata la memoria. Mr. Memory, que es la memoria como espectáculo, lo recuerda todo y demuestra hasta qué punto recordar es trivializar o volver a vivir: la vida está llena de memoria, la muerte es el descanso en el olvido. En su última noche como espectáculo, le preguntan a Mr. Memory desde el público: «¿Qué son los 39 escalones?» y el memorión no puede evitar cantar que es una organización para el mal. Su memoria lo condena y desde un palco lo acribillan. La memoria, ya lo vemos, es vida y muerte. Pero la memoria está fuera del tiempo.

Hay una frase de Horacio que me sé de memoria. Dice: «Las ruinas me encontrarán impávido». Cuando regresé a La Habana en 1965 y vi sus ruinas, no me encontré impávido sin embargo sino muy conmovido. ¿Son éstos los restos de mi madre? Estuve retenido allí por la policía por tres meses que no quiero recordar y sin embargo no olvido. Al regresar a Europa, a Madrid precisamente, me encontré que la única tarea que era para mí de alguna consecuencia era reconstruir La Habana mediante la memoria y revivir su esplendor perdido en un libro. Ciertamente, para mí, revivir La Habana era resucitarla y volver a vivir.

Esa labor comenzó hace más de un cuarto de siglo. Todavía estoy en ella.

La memoria es la primera y última máquina del tiempo. Sólo hay tiempo y memoria. La nostalgia es la memoria del alma. Pero hay también olvido. Un filósofo chileno cantó una vez: «Dicen que la distancia es el olvido», para luego añadir su negación del tiempo: «Yo no concibo esta razón». Pero el problema nuestro, mío y de ustedes, ahora, es lo que Bergson llamó la duración. ¿Seré o no seré breve?

Marzo de 1992

(Para leer en Barcelona en la Jornada de Difusión de la Cultura Catalana.)

Una vindicación del exilio

En una película apenas recordada llamaba *Forbidden* (Lo Prohibido) el héroe (un decir) Adolph Menjou es un político americano elegante (versión de Hollywood) que viaja a bordo de un vapor rumbo a La Habana. Allí conoce a una bibliotecaria solterona (la gran Barbara Stanwyck) que coge las primeras vacaciones de su vida. El encuentro ocurrió porque el político, borracho, creía que entraba en la habitación 99 cuando se había colado en el camarote 66 —que es un 99 derribado por el *tedium vitae* de a bordo. Pero es donde duerme ella. Los dos pasajeros (el nombre nunca fue más apto) conversan, se enamoran y ella hace planes para quedarse en La Habana y vivir de lo que más abunda. «Seremos», le propone a él, «gusanos».

El resto de la historia de amor está dedicado a la democracia más crasa: el político regresa a Estados Unidos, hace carrera y termina de gobernador del Estado. En cuanto a ella, sólo la muerte los separa. Pero los dos, cuando se reúnen, sueñan con La Habana y con el temblor que se agita en las palmeras.

Esta extraña presciencia es de 1932.

El exilio invisible

> «¡Es horrible! Pero ¿a qué arte diabólica debe someterse a un hombre para que lo vuelvan invisible?»
> «No es un arte diabólica. Es un proceso...»
> H. G. WELLS en *El hombre invisible*

A veces me creo invisible. Sucede cuando me quito mi americana de tweed, mi *pull-over* de lana, mis pantalones de pana y mis zapatos de vaqueta virada, luego toda la ropa interior y ahora me miro al espejo —¡y no veo nada! ¿Seré como el extraño que llegó a una *inn*, lejana posada inglesa, un día de invierno, invisible *de veras*? Al menos mucha gente me lo hace creer, como si yo fuera una versión villana del rey que iba en cueros y nadie se atrevía a confesar lo que veía. Soy el revés del rey, por supuesto. Voy vestido pero el efecto es como si fuera disfrazado aunque me quede desnudo: si me quito toda mi ropa inglesa nadie verá nada. Seré (lo sabe hasta el proverbial niño de cinco años) un exilado cubano. Existo pero no en exilio. El hábito me hace inglés pero mi desnudez me aniquila. Sólo soy yo gracias a mi vestimenta.

Hasta la palabra que podría designar mi status es diferente para mí ahora. En Cuba antes, por ejemplo, los republicanos refugiados de la guerra civil, llámense Casona o *El Campesino*, eran *exilados*. Ahora todos los desterrados que hablan español por el mundo en diásporas son *exilados* —menos los cubanos. Debemos recordar a esos judíos, casi intocables. Lo mismo pasa con los exilados cubanos, judíos de Castro. No somos marranos pero somos gusanos —apelativo castrista. Goebbels robó a Kafka un mote parecido para los judíos: *Ungeziefer*, alimañas. Es fácil eliminar a un hombre cuando no es ya un hombre sino una alimaña, un gusano, pero siempre hay sangre, cadáveres: un embarro. Es más limpio hacerlo invisible.

Mi invisibilidad recuerda a ese escamoteo verbal que practicaba la Real Academia de la Lengua para eliminar lo indeseable. Así el *Diccionario Manual* (ilustrado) olvida la palabra exilio y en la página 711, columna A, salta de *exiguo* a *eximio*, con arte de birlibirloque, pero en medio (¿para pedir perdón o cubrir la vacante?) pone *eximente.* ¡Presto! El exilio desapareció y los exilados o exilados se esfumaron hacia el limbo lingüístico. ¿Ilusionismo o mera ilusión? Para Franco (mi edición es la de Espasa-Calpe de 1950) no había exilio: había sólo una roja desbandada. Los exilados no existían, españoles o no. Como decía ese otro tirano grotesco, el rey Ubú: «Si no hay Polonia, entonces no habrá polacos» —como para que medite Jaruzelski sobre su problema polaco y una posible solución rusa. Si no hay exilados no hay exilio: es una simple proposición lógica. En Cuba, donde todos los emigrantes españoles eran gallegos (como si los cubanos no sólo presintieran a Franco, gallego epónimo, sino que Fidel Castro, gallego anónimo entonces, también sería posible: cosa curiosa, la taxonomía, tiene más de magia que la astrología), los judíos eran para nosotros polacos todos. Así el cubano de la calle fue más efectivo que Hitler y pudo encontrar la «solución final» desde el principio —desde antes, es más. Para los que creen que todo mañana será siempre mejor (como si acortaran la palabra futuro a mero fruto) el gran *Diccionario de la Real*, edición de Espasa-Calpe de 1956, admite el exilio —pero no los exilados.

La Limpia y Fija puede ser, sin embargo, en su progreso retrógrado (sí que existe este movimiento: no en física pero en política), más resueltamente avanzada que muchos escritores llamados progresistas simplemente porque no quieren confesarse comunistas. Un conocido crítico literario uruguayo escribe un largo y sesudo ensayo sobre el exilio en América y no encuentra más que un cubano exilado o exiliable: José Martí. ¿Habrá que recordar al lector que Martí murió, no de naturaleza, en 1895? Un escritor sudamericano, laureado, hace un discurso —ante una academia, pero no sobre literatura sino sobre exilios— y escoge a Chile, ¿arbitrario?, como el país más dado al exilio. Un millón de chilenos ha abandonado a Pinochet a su soledad de Andes, asegura auténtico. «¡Es un diezmo!» y terminó el informe para académicos sin una sola mención a Cuba, país modelo en cuanto a la forma de tratar a sus disidentes y descontentos, como se sabe. La exquisitez de Fidel Castro en estas cosas es ejemplar.

Pero la verdad desnuda es boyante y siempre sube a flote en todo medio espeso. Hay cerca de un millón y medio de cubanos viviendo en el exilio desde 1959 (algunos miles eran batistianos, cierto, pero entre ellos estaban también, ¿casualmente?, el *primer* presidente castrista) y es sólo ahora que la población de la isla rebasa los diez millones de habitantes. Se trata, como es obvio, de algo más que un diezmo. Es, de hecho, diezmo y medio, pero inmencionable, tabú. Como al olmo, al futuro se le piden peras, no peros.

Un escritor porteño pasea melancólico por las bibliotecas de Europa su largo exilio apolítico y tras haber asumido la frase francesa «Nada mata tanto a un hombre como verse obligado a representar su país», se permite los riesgos del inmortal y no sólo representa a otro país y a otro y a otro, sino hasta un continente y una causa. Su exilio se había hecho apocalíptico. Este escritor, que había abandonado Argentina en 1952 odiando a Perón hasta la náusea física (pero aún más a Evita), aparentemente sufrió el síndrome que su maestro argentino diagnosticaba como hecho de «sucesivas y encontradas lealtades». Así fue exilado antiperonista, luego peronista, después antimilitares antiperonistas y ahora generalizante militante *d'après des Îles* Malvinas. Pero preguntando por un periodista mexicano por los escritores cubanos exilados declaró con énfasis en sus erres todavía francesas: «No hay escritores exilados de la Grevolución. No hay más que gusanos». Lo que, por supuesto, niega la posibilidad de alfabetizarse a toda larva analfabeta y de paso el acceso a la literatura a cada gusano que quiera brillar ilustrado como mariposa literaria. Este escritor será materialista, pero naturalista no es. Está cerca de Marx pero lejos de Linneo.

Un grupo de refugiados políticos antiguos y actuales se reúne en Madrid para intercambiar memorias del exilio. Los hay de todas partes de España y de América —menos de Cuba. Nadie, está de más decirlo, echó de menos a los cubanos, los exilados americanos que llevan más tiempo en España —¡Curioso y más curioso!, diría Alicia, furiosa. Había en este simposio neoplatónico hasta un inusitado diplomático mexicano en funciones que debía ser de un exilado oficial o un observador de la ONU. Pero los cubanos, visibles en todas partes, ya innombrables eran allí invisibles. Es cierto que la reunión era más frívola que seria, a pesar de la edad respetable de los reunidos. Era como una cana al aire política. Se llegó incluso a hacer el elogio del exilio como si fuera un gusto adquirido. Pruebe, por favor, un poco más de ostracismo. ¡Hummm! ¡Qué delicia! Parecía, de veras, cierta nostalgia de Franco invertida —como Vizcaíno Casas pero con comicidad más espontánea. Este elixir de exilio era español en la memoria colectiva y ¿por qué no decirlo?, festiva. Pero recuerdo hasta exilados andaluces que, como no eran gitanos, eran infelices. Conocí, por ejemplo, al más triste de todos los poetas españoles exilados, Luis Cernuda, y me pareció un hombre calmo pero desesperado: una especie de suicida tan correcto que no se pegaba un tiro por temor a herir a sus amigos. Cernuda, ciertamente, no habría estado en este convivio.

Ahora el ministro de Cultura de Castro (que existe porque lo he visto en fotos, bien visible en su traje oscuro a rayas blancas verticales: todo, hasta el chaleco, lo hacía indiscernible de un *capo* secundario en *El padrino*) declara a *El País* en su gerundio atropellado que no hay escritores de alta «escala intelectual» que hayan abandonado el país (queriendo decir Cuba) y nombra a Juan Marinello (a quien llama Marinero, ¿en tierra?), a Fernando Ortiz, a Carpentier y a Lezama Lima con el mismo ceceo ansioso. Pero olvidó decir que todos los mencionados están en Cuba ¡porque están muertos! Hace tiempo que todos ellos (y ahora incluyo yo a Virgilio Piñera, el mejor teatrista cubano de todos los tiempos, que también se quedó en Cuba, para vivir de miedo y morir de un susto sostenido) están bajo tierra y si no los secuestran los gusanos de Hamlet, «*politic worms*», no veo cómo podrán dejar la isla, cruzar los mares o los aires, emigrar —para devenir ellos también cadáveres invisibles.

Pero sucede que, siempre desafortunado, el primer ministro de Cultura y Luces de Cuba castrista hace hincapié en Lezama sobre cuya eminencia nos ilumina con el esplendor de una noticia: antes que perseguir a Lezama ahora en Cuba se le *ezalta*. Esta exaltación, naturalmente, tuvo que esperar a la muerte del poeta. Todos los que saben leer (quiero incluir aquí a Armando Hart sin desarmarlo), saben que de *Paradiso*, la obra maestra de Lezama, no se hizo más que *una sola* edición de cinco mil (5.000) ejemplares en 1966, que se agotó enseguida —para no reeditarse jamás. Aparentemente por su exaltación del *homo-zezual*, la bestia negra con dos penes de Castro: obscena, contra natura, contrarrevolucionaria. A partir de 1971, cuando Lezama fue involucrado por Seguridad del Estado (que tiene los mejores lectores de Cuba: leen desde cartas hasta palmas de la mano) en el Caso Padilla no se volvió a publicar siquiera un ensayo suyo, como lo revela Lezama en sus cartas a su hermana. Es desde este más allá epistolar que el poeta proclama ahora su desmentida y su exilio, interiores ambos:

> «No es lo mismo estar fuera de Cuba que la conducta que uno se ve *obligado* a seguir cuando estamos aquí, metidos en el horno. Existen los cubanos que sufren fuera y los que sufren igualmente, *quizá más*, estando dentro de la quemazón y la *pavorosa* inquietud de un destino incierto...»

Aparte de mis subrayados, las repetidas menciones a «horno» y «quemazón», ¿no declaran que el escritor oscuro habla claro no del paraíso sino del infierno, de sí mismo como un Fausto condenado? ¿Fue Lezama quien inventó la metáfora del creador como un poseso penetrado por un hacha suave? Pero, ¿qué del poseso al que se le niega toda posesión: la esencia y la existencia y el mismo cuerpo sólido que contiene su conciencia? Me siento entonces como el extraño que llegó a la posada *Coach and Horses* en un lugar remoto de Inglaterra hace casi un siglo. Así describe su revelación un hombre que sabe de estas cosas: «Se puso una mano sobre la boca y al retirarla al centro de su cara se convirtió en un hueco vacío... Cuando finalmente se quitó las gafas, todos los presentes se quedaron atónitos: el forastero era invisible». Esa aparición era una desaparición.

Mayo de 1983

(Una versión inglesa fue leída en la Wheatland Conference on Literature *en Viena en diciembre de 1987.)*

Voces cubanas, voces lejanas

Varias voces cubanas se acercan a mis oídos sin odio para preguntarme: «¿Vale la pena escribir?», y el resto de la frase puede ser: «en Miami» o «en Manhattan» y aun «en Kansas City, Kansas». Hasta una bella poetisa desde Johannesburgo me susurra: «¿Y aquí en Sudáfrica?» Todas las preguntas querían expresar una sola, tímida pregunta:

«¿Vale la pena escribir en el exilio?» Mi temida respuesta invariable era: ¿Vale la pena vivir? Para mí vivir y escribir son una sola cosa. A aquellos interrogadores que eran jóvenes pero no demasiado (nunca se es *demasiado* joven) podía decirles: ¿Vale la pena la vida? A algunos que querían continuar escribiendo podría haberles preguntado: ¿Vale la pena vivir más allá de la vida?, y responderles todavía que sí, que la vida, aun continuándose tediosa a sí misma, vale la pena. Todas las opciones de la vida son válidas, desde el amor hasta morir de amor —y aun el suicidio.

Por supuesto nada mata tanto a un escritor como dejar de escribir. Aun no publicar no significa que el escritor está muerto. El escritor muere en el mismo momento que mueren sus palabras. Cuando esta muerte es voluntaria el escritor es un suicida que ha adelantado su cita con la muerte que es el silencio. Nada está más muerto que lo que no ha vivido. Quiero decir que el único placer (nunca me oirán hablando del deber) del escritor es escribir, aun si sabe que no tendrá lectores. Nadie escribe para ser leído. Se escribe para ser escrito y después que se ha terminado este acto gratuito es posible publicar y así el escritor le hace al lector el regalo de su prosa —o de su verso. Otros de su anverso. No creo que haya escritor, ni aun el más deformado profesional, que escriba para sus lectores. El lector queda siempre del otro lado del horizonte que es el borde de la página que no es el margen. El escritor viaja en su arca de palabras para encontrarse con el lector más allá del diluvio, donde la página se llena de palabras escogidas por un Noé que ha oído la orden de un Dios literario de navegar por otros mares de locura. El escritor, por intermedio de estibadores, almacenistas y agentes de aduana (léase editores y libreros), entrega al lector su carga de palabras. Pero para entonces el viaje ha terminado. El escritor no siente pena porque su placer siempre estuvo en la travesía.

Incluso creo que mi metáfora del viaje que culmina en la decepción fue cierta para Ulises, para Marco Polo y aun para el más grande de los viajeros, el almirante flotante Cristóbal Colón. De alguna manera, América debió ser para Colón un anticlímax. La excitación la dio siempre el viaje hacia lo desconocido, que no es más que una forma de lo conocido: la burla de la bitácora, el motín, la amenaza del naufragio. El riesgo y la aventura eran el viaje. La islita, los cocoteros profusos y los pocos indios confusos constituyeron, estoy seguro, una decepción. Fue esta frustración lo que hizo al Gran Almirante emprender otros viajes —para encontrar otras islas y otros indios que ni siquiera eran tales. De la condena de vivir para siempre en esa naturaleza decepcionante vino a salvarnos ese equívoco fraile llamado Bartolomé de las Casas. Como Colón, las Casas era un judío converso y con el ojo demente y vehemente del converso vio sufrir al noble salvaje y propuso que a los hombres indios (nunca se sabrá la intención de un adjetivo) vinieran a darles una mano (y hasta un brazo) negros de África, aparentemente salvajes innobles.

Sin saberlo las Casas, ignorante como un fraile, estaba estableciendo la fundación futura de Cuba, que podía ser ahora algo más que una isla, unas palmeras y unos indios y llegar a ser una nación. ¿Son necesarias las naciones? No lo sé. Pero lo cierto es que están ahí, como las islas. Las naciones son islas históricas en un mar político. Las islas son todas geografía, las naciones son nociones. Es tal vez por eso que todos tenemos (o hemos tenido) el sueño secreto de irnos a vivir a una isla desierta. Algunos sin embargo desean dejar nuestra isla secreta para ir a vivir a otras naciones —que a veces son islas reales. Esta fuga forzada se llama exilio y la isla soñada es la isla real dejada detrás en una perversión del mito del pájaro azul en el patio.

No creo que sea exagerado llamar a Colón padre de la isla: Cuba es más bien nuestra madre aunque la llamen patria. Una madre hecha de tierra como Adán, pero de tan entrañable sangre como Eva. No nuestra propia madre, cierto, pero evidentemente más duradera, eterna, si por eternidad entendemos lo que ha estado antes y estará después y es inalterable. A esa eternidad le debemos no sólo la existencia, le debemos la esencia. Ser cubano es haber nacido en Cuba. Ser cubano es ir con Cuba a todas partes. Ser cubano es llevar a Cuba en un persistente recuerdo. Todos llevamos a Cuba dentro como una música inaudita, como una visión insólita que nos sabemos de memoria. Cuba es un paraíso del que huimos tratando de regresar.

No me hago, sin embargo, ilusiones de regreso. Nunca ruego como los viejos judíos dispersados que anhelan volver a Jerusalén. «El año que viene en La Habana.» No pienso volver a Cuba, y ese pasado que está siempre presente no se hace futuro más que en la literatura y en los sueños, que son para mí otra forma de literatura. Pero no quiero hablar de mí, quiero hablar de los exilados cubanos. No de todos, por supuesto. No me conmueven las multitudes, sino unos pocos individuos. Hablaré de aquellos cubanos que se exilaron de la isla como poetas mediocres, escritores en ciernes, novelistas frustrados, prosistas precarios, cuentistas desconocidos y en general pobres cultivadores de la literatura.

En el extranjero, lejos de la isla, en el exilio y por razones desconocidas, se hicieron conocidos y se convirtieron no sólo en escritores eminentes, sino, en uno o dos casos, en escritores de genio. A muchos de ellos no sólo debemos la literatura cubana, sino que ellos sean nuestra tradición, y su realización es nuestra posibilidad. Ellos son Cuba: mucho más que una isla, que una geografía y una historia. Ellos, en su posteridad, pueden conversar de viajes con Homero, cenar con Petronio, llorar en el exilio con Ovidio, recordar el tiempo feliz en la desgracia con Dante, beber con Rabelais, actuar con Shakespeare, tutearse con Cervantes, satirizar con Swift, crear digresiones con Sterne, chismear con Jane Austen, escuchar a Dickens dramatizando, discutir un *mot juste* con Flaubert, recomendar un remedio contra la sífilis a Nietzsche, hacer el elogio de la locura a Maupassant, dolerse de las muelas de Huysmans y de los dientes de Oscar

Wilde, lamentar la piromanía de Gogol o la suciedad de Tolstoy o la tuberculosis de Chejov, alabar la extrema limpieza de Baudelaire, abanicarse con un poema de Mallarmé, contarle a Melville lo que es el color atroz de un tiburón blanco, apreciar un buen habano con Mark Twain, no entender nada de lo que dice Conrad, que habla polaco en inglés, tratar de adivinar el sujeto en un párrafo de Henry James, querer adivinar una sola palabra de otro James, Joyce, lamentar todos (menos uno) que Cavafis preste tanta atención a los efebos, no siempre griegos, y con Proust que pierda su tiempo en la cama, decirle a Kafka que la estatua de la Libertad no tiene una espada en la mano, sino una antorcha, comentar con Gertrude Stein lo isleña que es la vida literaria en Londres, decirle a Hemingway que nunca vivió en Cuba de veras, sino en el Golfo, y lamentar ante Faulkner que su sintaxis sea más oscura que sus dinastías y, finalmente, porque ellos son cubanos y, como yo, arbitrarios, detener su viaje al Parnaso reprochándole a Nabokov tanta mariposa muerta. Esos escritores exilados han desaparecido todos, pero todavía nos hablan. No son fantasmas. Sus voces vienen de sus libros. Ellos habitan ese país en que todas las voces son una sola voz. Ellos son, finalmente, la literatura.

El ave del paraíso perdido

Mi primer encuentro con William Henry Hudson tuvo lugar en La Habana hace veinte años. Su nombre era entonces Guillermo Enrique Hudson y fue Borges quien me llamó la atención sobre su obra. Borges, bilingüe, hablaba de *La tierra púrpura* en español y de *Allá lejos y hace tiempo* con ternura argentina. Como cosa de magia había cruzado ahora la calle Belascoain con la luz verde propicia y atravesado un portal para dirigirme a una de esas librerías de viejo de La Habana de entonces que debían llamarse de *viejos* por su clientela toda *ancien régime*. Esa tarde luminosa, tiempo de fiesta y no de encuesta, *l'après-midi d'un fan* o de siesta a dos había dejado a Miriam Gómez entre ejercicios didácticos de un dudoso dramaturgo (la palabra dramaturgo, alemana, se pronunciaba gutural en español para poder oír a Bertolt Brecht detrás) que era un argentino de Berlín del Este, de la Banda Oriental política. Como Antón Arrufat, amigo y amante de Conrad, me había dicho que esta librería de viejo, oscura y poco frecuentada antes, estaba en liquidación forzosa, entré decidido. Venía buscando a Hudson y no sabía si lo encontraría nunca. Observé enseguida que apenas había libros en esa librería ya en los estertores.

Miré sin esperanza a un anaquel casi vacío detrás mío y entre el polvo presente y la marca clara de la ausencia de cada libro, fantasmas fugaces, vi materializarse un tomo y un lomo y el nombre de *Nostromo.* ¡Coño, Conrad! Pero a su lado, compañero, había otro libro y otro título y otro nombre: G. E. Hudson —*Allá lejos y hace tiempo.* ¿Coincidencia? Tal vez. Pero pienso que fue más bien el llamado de la llanura púrpura, el encanto de los espacios abiertos, el embrujo de la pampa. Me había encontrado con la corriente de Hudson. Agarré el libro como a una balsa el náufrago. Era a principios de 1962 y los libros viejos y nuevos comenzaban a escasear tanto como la comida. Quiero decir libros libres, literatura, pero si a uno le gusta la propaganda podía encontrar cantidad de ella en todas partes de esa ciudad que fue sólo una finca y un bar para Hemingway, un prostíbulo masculino para Somerset Maugham y un burdel y un casino para su seguro servidor Graham Greene. No quería que un cliente más rápido que mi vista alcanzara ahora el libro primero y me ganara en apropiarme de este escritor inglés nacido en Argentina de padres americanos que vivió y pasó hambre y miseria y murió en Londres, allá lejos y hace tiempo.

Ese libro (iluminado, ilustrado con primor ingenuo), apenas en español, traducido en Argentina del inglés, insondable idioma para el traductor, fue la primera obra de Hudson que leí y fue toda una ocasión, desde el azar de la compra hasta la lectura propuesta. Estaba encantado, deleitado, embrujado, a pesar del idioma de los argentinos que Hudson compartió pero no yo. Hudson escribía de un tiempo remoto para mí, de veras desde hace tiempo y allá lejos, pero yo hice de su tiempo el mío y juntos los dos recorrimos la misma pampa del recuerdo. Luego vino el exilio. Mío, de Miriam Gómez, de mis hijas.

No fue súbito ni dramático sino lento y furtivo, pero no por ello menos doloroso. ¿Qué importa cómo te corten el cordón? Siempre queda el ombligo. Casi sin saberlo me encontré perdido en la niebla literaria de Londres, de Chelsea a Kensington, en ese Wild West End que oscilaba entre hostil y hospitalario. Nostálgico entre amnésicos nunca olvidé La Habana. Hudson y yo compartíamos ahora el mismo pasado, el mismo pasto, idénticas pasturas grises que fueron verdes un día. Su pampa de sueños, por siempre quieta, fue mi *Gulf Stream of consciousness*, mi monólogo exterior, siempre fluyendo, consciente, inconsciente y ambos, la pampa y el mar, eran infinitos porque el recuerdo no tiene orillas.

Hudson fluía como el río de la memoria (Támesis, Mnemósine) y leí cuantos libros suyos tuve al alcance de mi mano. Era muy pobre entonces, más pobre que Hudson en Londres tal vez, pero me las compuse. Hay muchas bibliotecas de préstamo en Londres, librerías ambulantes y en cada una se podía explorar su territorio: *Hudson found, Hudson sound.* La búsqueda era deliberada y sin el temblor del azar de aquella librería de La Habana Vieja. Hice descubrimientos americanos en cada libro suyo, *trouvailles*, lo que un exilado de América como él y un exilado de Europa o de África o de Asia, exilados de todas partes hacia otras partes, un exilado cualquiera puede apreciar de veras. Sus libros son todos el libro del éxodo.

Recuerdo un momento, sólo un atisbo, un instante fugaz en un libro suyo cuyo nombre no puedo recordar ahora, tal vez más tarde. (Pero el título no es importante, sólo su duración en el tiempo que fue eterna.) El escritor, el mismo Hudson o yo mismo, mientras baja una calle de

Londres oye un pájaro que canta. No recuerdo el pájaro. Sólo recuerdo (¡y qué recuerdo!) al escritor bajando por la calle de adoquines desiguales que no había alcanzado todavía el asfalto democrático, en Chelsea, sí. Pero no parece que se abrirá esa puerta verde de Sloane Avenue o de Bywater Street. Mientras el pájaro sigue cantando al verano o a lo que cantan los pájaros en verano. Cuando por fin se abre la puerta el exilado le pregunta a la mujer que vino a abrir si ese pájaro (el brazo erguido, la mano extendida, el dedo índice señalando al sonido) canta en su patio. La mujer asiente. «¿Es por casualidad un pájaro de Argentina?», pregunta Hudson. La mujer dice que sí. Lo trajo ella misma de Buenos Aires donde vivió por un tiempo. Hudson, tan alto, tan flaco, tan frágil, con su larga barba blanca y su cabellera cana flotando en la brisa de verano inglés, albino en Albión, se queda ahí de pie y no se mueve ni dice nada, ahí de pie oyendo. No a la mujer, que no habla, sino al pájaro que canta. Luego él también asiente.

Hudson se ha dado cuenta de que el pájaro que canta no vino de la Argentina. Viene de su niñez y de sus sueños, desde el pasado. Ese pájaro llega, ahora lo recuerdo, de la añoranza y se llama nostalgia. Este pájaro (de su pampa, de mi sabana y de mi Habana, de las praderas, de los llanos, de las estepas europeas) puede oírlo cantar todo exilado en todas partes, siempre. Es el ruiseñor del emperador que regresa.

22 de abril de 1980

Este libro
se terminó de imprimir
en los Talleres Gráficos
de Rotapapel, S. A.,
Móstoles, Madrid (España)
en el mes de marzo de 1998